EVE OF DESTRUCTION

YUSUKE CHIBA

INTRODUCTION

　この本は、俺が主に10代から20代途中までの間くらいの頃に聴いていたレコードを紹介するものです。このレコードたちのおかげで今の俺があるのかもしれない。もちろんそれだけではないけれども。

　この本を君が手に取って、なんかしら素晴らしい音楽に出会えたら幸いです。ジャケットを見るだけでも楽しいと思うよ。ジャケットから音を想像していいかもなと思ったら、ぜひ聴いてみてください。きっと何かが広がるはずさ。

　音楽は、音は、ずっと君に残るよ。

チバユウスケ

CONTENTS

ROOTS

Johnny Thunders And The Heartbreakers

L.A.M.F. REVISITED   12inch

Johnny Thunders And The Heartbreakers
Live At The Lyceum Ballroom 1984   12inch

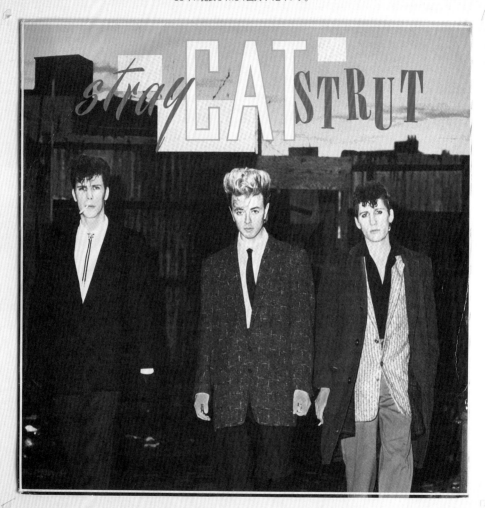

Stray Cats
Stray Cat Strut ／ Built For Speed ／
Sweet Love On My Mind ／ Drink That Bottle Down　12inch

スマッシュ・ヒットを記録した80年リリースのシングル盤。

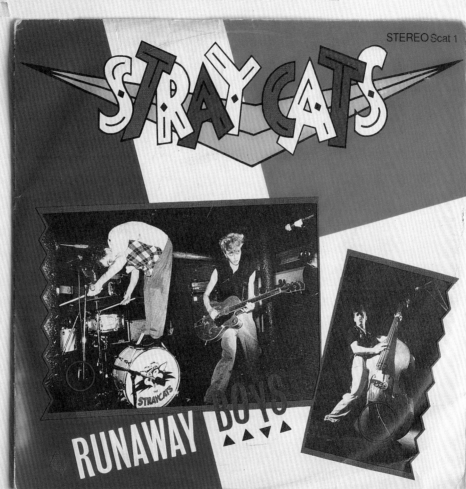

STEREO Scat 1

Stray Cats
Runaway Boys ／ My One Desire　　　　7inch

Stray Cats

(She's) Sexy + 17 ／ Lookin' Better Every Beer   7inch

Stray Cats
Stray Cat Strut ／ Drink That Bottle Down　　　7inch

Stray Cats
Little Miss Prissy ／ Cross That Bridge　　　7inch

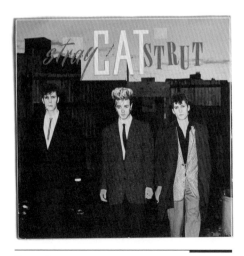

Stray Cats
Stray Cat Strut ／ Drink That Bottle Down　　　7inch

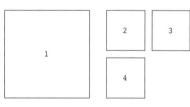

1 83年のヒット・シングル。**2** 81年発表のシン
グル。**3** 81年発表のシングル。オランダ盤。**4**
P008と同じジャケット・デザインだが、こちらは2
曲入りの7インチ盤。

1：ROOTS　2：PUNK　3：PUB ROCK　4：GARAGE　5：ROCK　6：DOMESTIC　7：SKA
8：ROCKABILLY & PSYCHOBILLY　9：BRITISH　10：SOUND TRACK　11：US ALTANATIVE　12：JAZZ

The Roosters
C.M.C ／カレドニア／ Drive All Night ／
Case of Insanity（Live） 12inch

The Roosters
THE ROOSTERS a-GOGO 12inch

The Roosters
Unreleased 12inch

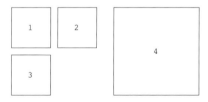

1 83年に発表された12インチ・シングル。タイト
ルは "CRUISING MISSILE CAREER" の略で、巡
航ミサイルキャリアという意味。**2** 81年に発表さ
れた2ndアルバム。**3** 初期未発表楽曲をまとめた作
品。87年発売。**4** すべてオリジナル曲だけで構成
された81年リリースの3rdアルバム。

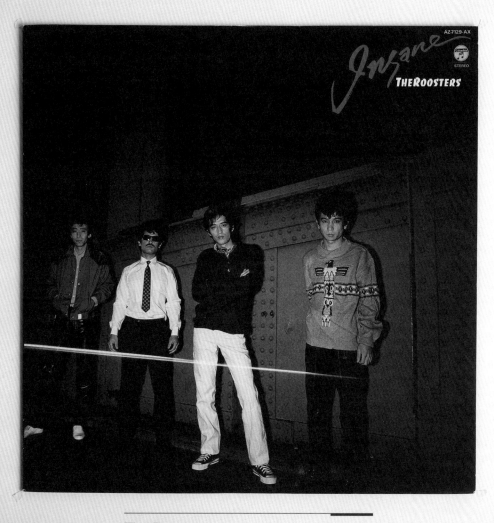

Insane
The Roosters

AZ-7129-AX
STEREO

1 : ROOTS — 2 : PUNK — 3 : PUB ROCK — 4 : GARAGE — 5 : ROCK — 6 : DOMESTIC — 7 : SKA — 8 : ROCKABILLY & PSYCHOBILLY — 9 : BRITISH — 10 : SOUND TRACK — 11 : US ALTERNATIVE — 12 : JAZZ

The Roosters
Insane

12inch

The Mods

News Beat   12inch

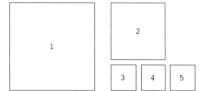

1 ： ROOTS　2 ： PUNK　3 ： PUB-ROCK　4 ： GARAGE　5 ： ROCK　6 ： DOMESTIC　7 ： SKA
8 ： ROCKABILLY & PSYCHOBILLY　9 ： BRITISH　10 ： SOUND-TRACK　11 ： US ALTANATIVE　12 ： JAZZ

1 「ゴキゲンRADIO」「ご・め・ん・だ・ぜ」といっ
た代表曲を収録した2ndアルバム。81年リリース。
2 82年に公開された映画『爆裂都市 BURST
CITY』（監督：石井聰互）のサウンドトラック。**3**
"めんたいロック"の始祖と言われるサンハウスが75
年にリリースしたデビュー・アルバム。**4** 79年発
表の2ndアルバム。細野晴臣がプロデュースを手が
け、YMOの面々をゲストに迎えた1枚。**5** "東京
ロッカーズ"ムーブメントの中心的存在であったフ
リクションの1stアルバム。共同プロデューサーとし
て坂本龍一が参加。

V.A.
バースト・シティ（爆裂都市）オリジナルサウンドトラック　12inch

Sonhouse
有頂天　　　　　　　　　　　　　　12inch

Sheena&The Rokkets
真空パック　　　　　　　　　　　　12inch

Friction
軋轢　　　　　　　　　　　　　　　12inch

10代の頃に好きになったのは "めんたいビート" と呼ばれる日本のロックンロール・バンドだった

ロックの魅力にのめり込んでいくきっかけになったのは、ジョニー・サンダースとストレイ・キャッツ。知ったのはほとんど同時期で、10代の頃に仲間から「こんな音楽あるよ」って回ってきたカセット・テープが出会いだった。いろんな曲が入ったカセット・テープを仲間内で回して聴いていたんだ。楽しかったね。

ジョニー・サンダースのライブ盤『Live At The Lyceum Ballroom 1984』は「Pipeline」から始まるのもカッコよかったし、「Do You Love Me?」は今聴いても最高。

好きになった理由は、単純に音を聴いてカッコいいと思ったから。ひとつ心残りがあるとしたら、最後の来日公演を観ることができなかったこと。「いつかライブを観れるだろう」なんて思っていたら、死んじゃったんだ。そんなふうに思うのは、ジョニー・サンダースくらいだね。

ストレイ・キャッツは、色っぽかった。のちのちシングル盤を含めてレコードを

集めていくんだけど、10代の頃にテレビで流れていた「Stray Cat Strut」のMVを観た記憶がある。カバーも素晴らしくて、1stアルバムの『Stray Cats』に入っている「Ubangi Stomp」（ウォーレン・スミスのカバー）はストレイ・キャッツがきっかけで知ったんだ。

間違いなくロカビリーの世界を知る入口になったバンドなんだけど、その頃の俺はパンクに興味が行ってしまった。歪んだギター・サウンドでパワー・コードをかき鳴らすパンクのほうがわかりやすかったし、すぐに弾けたし、ビートも速かった。いろんなロカビリー・バンドを聴くようになるのは、もう少しあとになってからだね。

ジョニー・サンダースやストレイ・キャッツを聴くようになってすぐ"めんたいビート"に出会った。中でもザ・ルースターズとザ・モッズ。初めて聴いた時は、言葉では説明できないくらいシビレた。ひょっとしたら自分が"バンドをやりたい"と思うきっかけのひとつになっているかもしれない。だからこそ根源的なところで、とても大切な存在だよ。

ルースターズは、とにかくやりたい放題って感じがカッコよかった。『Insane』の2曲目「We Wanna Get Everything」を聴いた時は本当に驚いた。当時、俺の仲間にはあんなにもドラムを叩けるヤツいなかったから、スタジオに入った時に「もっとやってくれよ」なんて言っていた記憶がある。

ルースターズが爆音で鳴らすビート・ロックには、ロックンロールやパンクの要素が入っていて、今聴いても当時の自分に一発で戻される。大好きだね。最高だよ。

バンドを始めたばかりの頃にカバーしていたんだ。当時は、一緒にやってた仲間から「お前はギターを持ってないから歌え」って言われてさ。最初は俺も「ギターがやりたい」って言ったんだけどね。そんなところからバンドで歌う人生が始まって、いまだに歌ってる。

モッズも大好きだった。2ndの『News Beat』の1曲目「ゴキゲンRADIO」から2曲目の「記憶喪失」への"つなぎ"はぜひ聴いてほしい。演奏が"ガーッ！"って始まって、曲が終わったと思ったらすぐに次の曲になだれ込むんだよ。そこがたまらなくカッコよくてさ。その感覚は、今もずっと変わらないね。これを10代の頃に聴いたら間違いなくブッ飛ぶと思うよ。

この本で紹介している作品は、今聴いても興奮するし、自分のバンドでカバーするのも楽しかったけど、彼らと同じことをやろうとは思わなかった。生意気に聞こえるかもしれないけど、ガキの頃からずっと"俺が作った曲が一番カッコいい"と思っていたからね。その気持ちは今でも変わっていないよ。

初めて作った曲は「探してよ」みたいな、そんな感じの曲だった。16歳くらいの頃だと思う。「イッツ・オンリー・ロックンロール」って曲も作った気がする。ギターを手に入れて、コードを覚えると

オリジナルをやりたくなるじゃん？「このコードだったらこういうメロディが合うんだな」ってことが感覚的にわかってくるしさ。その頃から歌詞も書いていたよ。

初めてギターを手に入れたのも15〜16歳くらいの頃。スクワイアの黒いテレキャスター。その頃にはもう「俺は一生音楽をやっていくんだろうな」って思ってたよ。不思議と「俺にはこれしかない」って確信があったから。今、こうなっているから言えることかもしれないけど、「楽器があって良かった」、「この声があって良かった」って本当に思う。そうじゃなかったら悪い道に逸れていたかもしれないね。

なぜテレキャスターを選んだのかは覚えていないけど、おそらくジョー・ストラマーの影響があったように思う。もしくは友達に「これがいいんじゃない？」って薦められたのかもしれない。そのテレキャスにはイギー・ポップのステッカーを貼っていたんだけど、どうやらそれが

カッコよかったらしく、仲間のひとりから「俺のグレコのES-335タイプと交換してほしい」って言われて、あげちゃった。

これまでに使ってきたギターは、テレキャスター、ジャガー、ジャズマスター、エコー（820-4V）。すべてぶん投げて壊れてしまった。不思議と以前と同じモデルを使う気にならなくてさ。できれば違った新しいギターを弾きたいと思っていた。ギブソンのES-335も使っているんだけど、太い音がGWF（The Golden Wet Fingers）に合うと感じたんだよ。ギターは、常にバンドで出したい音のイメージに合わせて選んでいるよ。

俺がグレッチを使っているのは単純に弾きやすかったから。あと見た目がカッコいい。今でも覚えているのが、昔ギターをぶん投げて壊してしまった時に、次に使うギターについてアベ（フトシ）に相談したんだ。そこで「原点に戻ってグレッチ使おうかと思ってるんだけど」って言ったら、アベが「俺がテレキャスでチバがグレッチっていうのはカッコいい

じゃん」って言ってくれてさ。そのあとすぐにテネシーローズを手に入れたんだ。

人の意見っておもしろいんだよ。だから、ちゃんと耳を傾けないといけないって思っている。その言葉に自分の気持ちが引っ張られてしまうことも多々あるけど。ただ、当たり前のことだけど"決定"は俺自身がしなきゃならない。ライブや曲作りに関しては、バンドでもソロでも最終的には自分がイメージした形になるんだろうけど、表現する作品にはメンバーやスタッフを含めた全員の気持ちが入っているから、その意見は絶対に聞かなきゃいけないと思っている。俺もみんなの感じたことを知りたいからね。そこはとても重要だよ。

俺の音楽でもあるけど、メンバーやマネージャー、エンジニア、関わってくれるスタッフも含めた"全員で"作っている音楽でもあるからね。今は。

これまでの人生で、ギターに関しては

シガ（ケイイチ）がいて、アベ（フトシ）がいて、イマイ（アキノブ）がいて、フジケン（フジイケンジ）がいて。ドラムに関しても、クハラ（カズユキ）、（中村）達也くん、（佐藤）稔くん。ベースも照さん（照井利幸）、（ヒライ）ハルキ、（滋野）岳ちゃん、ウエノ（コウジ）とか。俺は本当にメンバーに恵まれていて、ずっと好きな奴としか一緒にやっていないんだよ。おもしろくないヤツとはやりたくないしね。

しかも俺が思ったことを表現してくれる人たちだし、そこに彼らが表現したいことも乗っかっているから相乗効果がおもしろい。だから俺はとにかくカッコいいと思う曲を作って持っていくだけ。それを全員で完成させて、出すようにしてる。

イマイくん、稔くんとは、1996年に新宿LIQUIDROOMの2周年イベントで、ミッシェルがフリクションとSuper Junky Monkeyと対バンした時に出会った。その時のフリクションでギターを弾

いていたのがイマイくんで、ドラムが稔くん。それから8年後の2004年にROSSOで一緒にやることになったんだよね。

4人でやる前のROSSOは、俺と照さんとMASATOの3人編成だったんだけど、今までの音楽人生の中で唯一のトリオ・バンドだった。あんなにも一生懸命ギターを弾いたのは、あとにも先にもあの時だけだよ。おもしろかったね。

これは余談になるんだけど、メンバーからよく、俺の弾くギターは「ちょっと変わっている」って言われるんだ。シガにも言われたし、アベにも言われた。フジケンには言われていないけど、おそらく「変な音の当て方をするな」って思っているんじゃないかな。

俺が好きになる音楽の基準は"音がカッコいいかどうか"。今とは違ってバンドが演奏している映像なんて簡単には観られない時代だったしね。聴こえてくる"音"がすべてなんだよ。

PUNK

The Damned
Don't Cry Wolf ／ One Way Love　　　　7inch

The Damned
New Rose ／ Neat Neat Neat ／ Help ／
Stretcher Case ／ Sick Of Being Sick　　　12inch

The Damned
Dozen Girls ／ Take That ／
Mine's A Large One, Landlord ／ Torture Me　　7inch

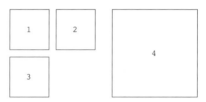

1 2ndアルバム『Music for Pleasure』から
のシングル・カット盤。**2** 1stシングル「New
Rose ／ Help」と2ndシングル「Neat Neat
Neat」に「Stretcher Case ／ Sick Of Being
Sick」を加えた編集盤。**3** 5thアルバム
『Strawberries』からのシングル・カット盤。
4 ミッシェル・ガン・エレファントというバ
ンド名のもとにもなった3作目のスタジオ・ア
ルバム。シングル・カットされた曲も多い。

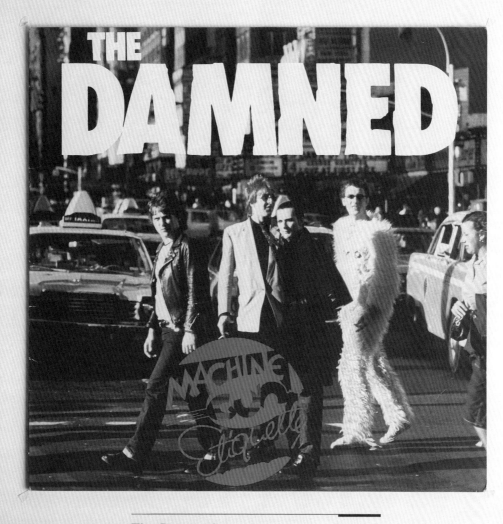

The Damned
Machine Gun Etiquette   12inch

1 : ROOTS   2 : PUNK   3 : PUB ROCK   4 : GARAGE   5 : ROCK   6 : DOMESTIC   7 : SKA
8 : ROCKABILLY & PSYCHOBILLY   9 : BRITISH   10 : SOUND TRACK   11 : US ALTANATIVE   12 : JAZZ

The Damned
Love Song ╱ Noise, Noise, Noise ╱ Suicide   7inch

The Damned
Love Song ╱ Noise, Noise, Noise ╱ Suicide   7inch

The Damned
Neat Neat Neat ╱ Stab Yor Back ╱
Singalonga-Scabies   7inch

The Damned
Damned Damned Damned   12inch

Naz Nomad And The Nightmares
I Had Too Much To Dream (Last Night)／
Cold Turkey　　　　　　　　　　　　　7inch

1 79年発売のイギリス盤シングル。メンバー4人
それぞれのカバー・ジャケットが存在するが、こちら
はキャプテン・センシブル版。**2** 「Love Song」の
デイヴ・ヴァニアンがカバー・ジャケットを飾るバー
ジョン。**3** 1stアルバム『Damned Damned
Damned』と同時期に発表された2ndシングル。**4**
邦題『地獄に堕ちた野郎ども』で知られるダムドのデ
ビュー・アルバム。**5** ダムドのメンバーによる覆面
バンド。"架空の映画のサントラ"というコンセプト
で作ったアルバムからのシングル・カット。**6** ダム
ドが79年に発表したシングル。**7** 76年に発売さ
れたダムドのデビュー・シングル。B面では、ビート
ルズの「Help」をスピーディなパンク・サウンドで
カバー。**8** ルー・エドモンズが加入し5人編成になっ
たダムドが、ピンク・フロイドのニック・メイスンを
プロデューサーに迎えて制作した3rdシングル。

1：ROOTS　2：PUNK　3：PUB ROCK　4：GARAGE　5：ROCK　6：DOMESTIC　7：SKA　8：ROCKABILLY & PSYCHOBILLY　9：BRITISH　10：SOUND-TRACK　11：US ALTANATIVE　12：JAZZ

The Damned
Smash It Up／Burglar　　　　　　　　7inch

The Damned
New Rose／Help　　　　　　　　　　　7inch

The Damned
Problem Child／
You Take My Money　　　　　　　　　7inch

クラッシュの2ndアルバム。全英チャートでは最高2位を記録。

The Clash
動乱（獣を野に放て）

12inch

BANKROBBER

THE CLASH

The Clash

Bankrobber ／ Rockers Galore..... UK Tour　　　　7inch

The Clash
White Riot ／ 1977   7inch

The Clash
アイ・フォート・ザ・ロウ／
ハマースミス宮殿の白人   7inch

The Clash
Remote Control ／
London's Burning（Live）   7inch

The Clash
London Calling ／
Armagideon Time   7inch

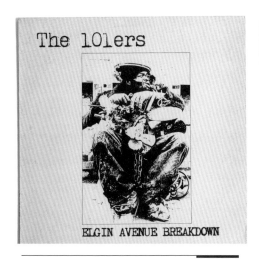

The 101' ers
Elgin Avenue Breakdown   12inch

The 101' ers
Sweet Revenge ／
Rabies (From the Gogs of Love)   7inch

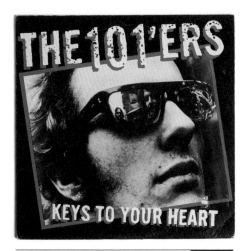

The 101' ers
Keys To Your Heart   12inch

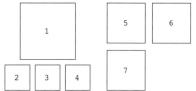

1 クラッシュの1stシングル。カップリングの「1977」はアルバム未収録曲。**2** クラッシュの日本盤シングル。スカを取り入れた「ハマースミス宮殿の白人」と名カバーで知られる「アイ・フォート・ザ・ロウ」（ザ・クリケッツ）を収録。**3** 邦題『白い暴動』で知られる1stアルバム『The Clash』からのシングル・カット盤。**4** クラッシュの代表曲のひとつである「London Calling」のシングル盤。**5** クラッシュ結成前のジョー・ストラマーが在籍したパブ・ロック・バンド、The 101'ersの音源を集めたコンピレーション・アルバム。**6** The 101'ersの数少ないシングル盤より、81年発売の2ndシングル。**7** The 101'ersのデビュー曲の編集盤。85年発売。

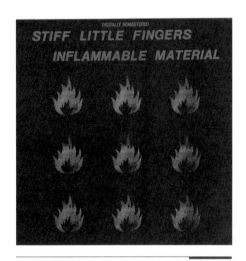

Stiff Little Fingers
Inflammable Material   12inch

Stiff Little Fingers
Gotta Gettaway ╱ Bloody Sunday   7inch

| 1 | 2 | 3 |

1 北アイルランドのパンク・バンド、スティッフ・
リトル・フィンガーズのデビュー・アルバム。**2**
『Nobody's Heroes』からのシングル・カット。**3**
80年にリリースされた2ndアルバム。スペシャルズ
の「Doesn't Make It Alright」のカバーも収録。

DIGITALLY REMASTERED

5T1FF L1TTLE F1N6ER5

EMC 3555
1-9-8-0

Stiff Little Fingers

Nobody's Heroes   12inch

The Jam
The Modern World ／ Sweet Soul Music ／
Back In My Arms Again ／ Bricks And Mortar（Part）　7inch

The Jam
In The City ／ Takin' My Love　7inch

The Jam
Live! EP　7inch

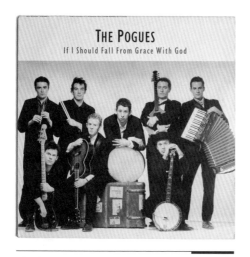

THE POGUES
If I Should Fall From Grace With God

The Pogues
If I Should Fall From Grace With God　　　12inch

Poguetry in motion

LONDON GIRL • THE BODY OF AN AMERICAN
A RAINY NIGHT IN SOHO • PLANXTY NOEL HILL　　33⅓ E.P.

The Pogues
Poguetry in motion　　　7inch

1

2　3

4　5

1 2ndアルバム『This Is the Modern World』の先行シ
ングルとしてヒットを記録。**2** デビュー・アルバム『In
The City』から、77年にシングル・カット。**3** カーティス・
メイフィールドのカバー曲「Move On Up」を含む4曲入り
のライブEP。**4** 代表曲「Fairytale of New York」が収録
された88年発表の3rdアルバム。**5** エルヴィス・コステ
ロがプロデュースを手がけた4曲入りEP。

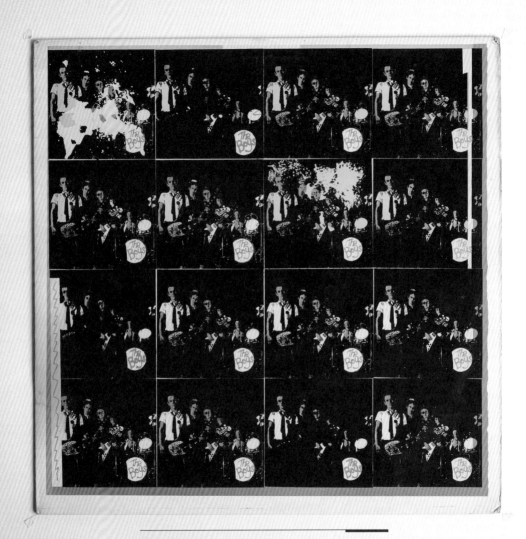

The Boys
The Boys

12inch

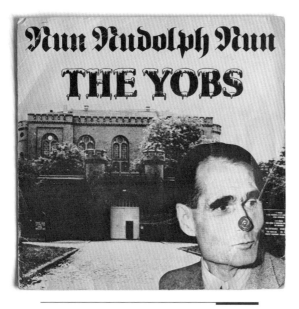

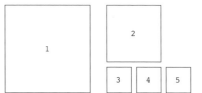

1 76年にロンドンで結成されたパンク・バンドの1st。ミッシェル・ガン・エレファントの「G.W.D」のB面には、彼らの「Sick On You」のカバーを収録。**2** ボーイズの変名バンドのシングル。チャック・ベリーの「Run Rudolph Run」をカバー。**3** 78年に発売された2ndアルバム。**4** 3rdアルバム『To Hell with The Boys』からのシングル・カット盤。**5** ボーイズが77年に発表した1stシングル。ミッシェル・ガン・エレファントは、「G.W.D」に続いてリリースされた「アウト・ブルーズ」のB面で「Soda Pressing」をカバー。

The Yobs
Run Rudolph Run / The Worm Song　　　　7inch

The Boys
Alternative Chartbusters　　12inch

The Boys
Kamikaze ╱ Bad Day　　7inch

The Boys
I Don't Care ╱ Soda Pressing　　7inch

1：ROOTS　2：PUNK　3：PUB ROCK　4：GARAGE　5：ROCK　6：DOMESTIC　7：SKA　8：ROCKABILLY & PSYCHOBILLY　9：BRITISH　10：SOUND TRACK　11：US ALTERNATIVE　12：JAZZ

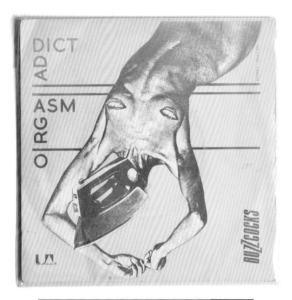

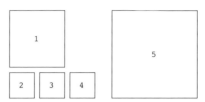

1 77年にリリースされたバズコックスのメジャー1stシングル。ジャケットにはリンダー・スターリングが手がけたフォト・モンタージュ作品"アイロン・ヘッド"が使用されている。**2** 2ndアルバム『Love Bites』からのシングル・カット盤。**3** 77年にリリースしたデビューEP。こちらはオリジナル・メンバーであり、デビュー直後にバンドを脱退したハワード・ディヴォートの名前がプリントされたバージョン。**4** こちらは同じ「Spiral Scratch」の、ハワード・ディボートの名前が記載されていないバージョン。**5** XTCの1stアルバム。ストーン・ローゼズを手がけたことで知られるジョン・レッキーがプロデューサーとして参加。

Buzzcocks
Orgasm Addict ／ What Ever Happened To?　　7inch

Buzzcocks
Ever Fallen In Love... (With Someone You Shouldn't've?) ／ Just Lust　　7inch

Buzzcocks
Spiral Scratch　　　　　　7inch

Buzzcocks
Spiral Scratch　　　　　　7inch

XTC
White Music   12inch

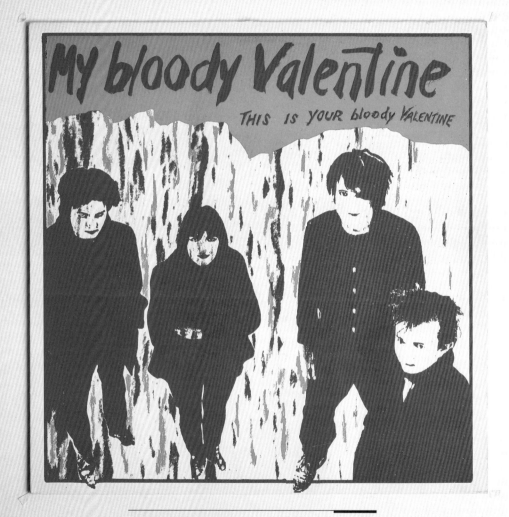

My Bloody Valentine

This Is Your Bloody Valentine   12inch

1 MBV のデビュー作。ガレージ・パンク色の強いサウンドが特徴。 2 ボストンで結成されたアメリカン・パンク・バンド、DMZ の唯一スタジオ・アルバム。名前の由来は "DeMilitarized Zone（非武装地帯）"。 3 オーストラリアのパンクロック・バンドによる 1st アルバム。 4 オーストラリア・パンクを代表するザ・セインツのデビュー・アルバム。本国のみならずイギリスでもスマッシュ・ヒットを記録。 5 セインツの最高傑作との呼び声が高い 2nd アルバム。

DMZ
DMZ　　　　　　　　　　　　12inch

1 : ROOTS　2 : PUNK　3 : PUB ROCK　4 : GARAGE　5 : ROCK　6 : DOMESTIC　7 : SKA
8 : ROCKABILLY & PSYCHOBILLY　9 : BRITISH　10 : SOUND TRACK　11 : US ALTANATIVE　12 : JAZZ

Radio Birdman
Radios Appear　　　12inch

The Saints
(I'm) Stranded　　　12inch

The Saints
Eternally Yours　　　12inch

Sex Pistols
Anarchy In The U.K. ╱ I Wanna Be Me   7inch

Sex Pistols
God Save The Queen ╱ Did You No Wrong   7inch

Sid Vicious
Sid Sings   12inch

Eater
Lock It Up ╱ Jeepster   12inch

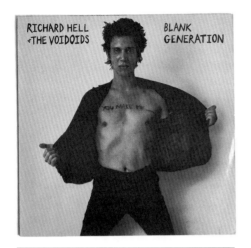

Richard Hell & The Voidoids
Blank Generation · 12inch

Slaughter & The Dogs
Where Have All The Boot Boys Gone? ／
You're A Bore · 12inch

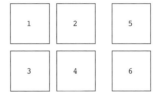

1 代表曲「Anarchy In The U.K.」のフランス盤シングル。**2** 77年リリースの2ndシングル。カップリングの「Did You No Wrong」は、アルバム未収録楽曲。**3** シド・ヴィシャスの死後にリリースされたソロ・アルバムで、ほとんどが「My Way」や「Born to Lose」といったカバー曲で構成された1枚。**4** イーターの12インチ・シングル。カップリングにはT-Rexの「Jeepster」を収録。**5** テレヴィジョンやハートブレイカーズの初期メンバーとして活躍し、NYパンク・ムーブメントを牽引したリチャード・ヘルの代表作。**6** マンチェスター・パンク・シーンの初期を盛り上げたバンドの2ndシングル。

MC5

Kick Out The Jams

12inch

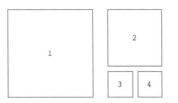

1 ストゥージズとともにアメリカのロック・シーンを牽引したMC5のデビュー・ライブ・アルバム。 2 73年のリリース以来、パンク・ムーヴメントの聖典とされてきた1枚。 3 ストゥージズの記念すべきデビュー作。プロデュースは、ヴェルヴェット・アンダーグラウンドのジョン・ケイル。 4 『Raw Power』制作時に録音されていたアウト・テイク3曲を収録したEP。

Iggy And The Stooges
Raw Power　　　　　　　　　　12inch

The Stooges
The Stooges　　　　12inch

Iggy And The Stooges
I'm Sick Of You ／ Tight Pants ／
Scene Of The Crime　　　12inch

1 : ROOTS　2 : PUNK　3 : PUB ROCK　4 : GARAGE　5 : ROCK　6 : DOMESTIC　7 : SKA
8 : ROCKABILLY & PSYCHOBILLY　9 : BRITISH　10 : SOUND TRACK　11 : US ALTERNATIVE　12 : JAZZ

999
999   12inch

Bauhaus
Bela Lugosi's Dead ／ Boys ／
Untitled [Dark Entries Demo]   12inch

The Adicts
Songs Of Praise   12inch

The Adicts
Rockers Into Orbit   12inch

Dead Boys
Young Loud And Snotty   12inch

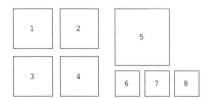

1　イギリス発パワー・ポップ・バンド999の1stアルバム。78年作品。2　79年にリリースされたバウハウスの1stシングル。3　81年にリリースされたアディクツのデビュー・アルバム。4　87年のハロウィンにアラバマ・ホールで行なわれた、代表曲満載のライブ盤。5　"ニューヨークのセックス・ピストルズ"と呼ばれた、スティーヴ・ベイター率いるデッド・ボーイズの1stアルバム。6　1stアルバム『Fresh Fruit for Rotting Vegetables』からのシングル・カット盤。7　イギリスのポストパンク／ゴシック・ロック・バンドによるシングル盤。のちにバンド名をカルトに変更し、世界的成功を収める。8　77年にロサンゼルスで結成されたパンク・バンドのデビュー作。

Dead Kennedys
Holiday In Cambodia ／
Police Truck   7inch

Death Cult
Gods Zoo   12inch

The Dickies
The Incredible Shrinking Dickies   12inch

1：ROOTS　2：PUNK　3：PUB ROCK　4：GARAGE　5：ROCK　6：DOMESTIC　7：SKA
8：ROCKABILLY & PSYCHOBILLY　9：BRITISH　10：SOUND TRACK　11：US ALTERNATIVE　12：JAZZ

Gang Of Four
Solid Gold

12inch

Charged G.B.H
The Clay Years - 1981 To 84   12inch

V.A.
Oi! Chartbusters Volume 1   12inch

Generation X

Ready Steady Go ／ No No No   7inch

MENACE

G.L.C. (R.I.P.)   12inch

The Vibrators

Pure Mania   12inch

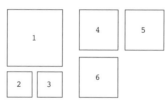

1 リーズ出身のポストパンク・バンドが81年に発表した2ndアルバム。**2** UKハードコアの重鎮バンドが、クレイ・レコード時代に発表した楽曲をまとめたベスト盤。**3** パンクのサブジャンルのひとつとして70年代にイギリスで生まれた、"Oi!"のコピレーション盤。**4** 代表曲を収録したジェネレーションXの3rdシングル。カップリングの「No No No」はアルバム未収録。**5** 日本でも根強い人気を誇るUKパンク・バンドのLP。代表曲「G.L.C.」収録。**6** ヴァイブレーターズが77年にリリースした1stアルバム。

Ramones

Do You Remember Rock N' Roll Radio? /
I Want You Around

7inch

1 ラモーンズの5thアルバム『End of the Century』に収録された代表曲のシングル・カット盤。**2** スコットランド発、男女ツイン・ボーカルによるパンク・バンドのデビュー・アルバム。デイヴ・クラーク・ファイブの「Glad All Over」を始めとするカバー曲も収録。**3** レジロスの2ndアルバム。79年作品。**4** レジロスが77年に発表した1stシングル。**5** レジロス解散後、ボーカリストであるユージン・レイノルズとフェイ・ファイフが結成したザ・レヴィロスのシングル盤。

The Rezillos
Can't Stand The Rezillos　　　　　　　　12inch

The Rezillos
Mission Accomplished...
But The Beat Goes On　　12inch

The Rezillos
I Can't Stand My Baby ／
Wanna Be Your Man　　7inch

The Revillos
Motor Bike Beat ／
No Such Luck　　　　7inch

1：ROOTS　2：PUNK　3：PUB ROCK　4：GARAGE　5：ROCK　6：DOMESTIC　7：SKA　8：ROCKABILLY & PSYCHOBILLY　9：BRITISH　10：SOUND TRACK　11：US ALTANATIVE　12：JAZZ

The Real Kids
The Real Kids 12inch

The Exploited
Totally Exploited 12inch

The Undertones
The Undertones 12inch

Television
Marquee Moon   12inch

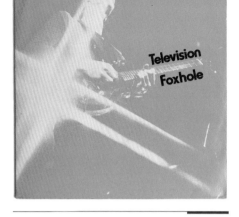

Television
Foxhole ／ Careful   12inch

Television
Marquee Moon Part I ／ Marquee Moon Part II   7inch

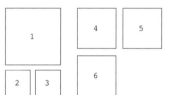

1 ソングライターのジョン・フェリスが率いる、ボストン出身のパンク・バンドが77年にリリースした1stアルバム。**2** スコットランドで結成された、ハードコア・パンクを代表するバンドの初期ベスト・アルバム。84年発売。**3** 北アイルランド出身のバンドの1stアルバム。人気曲「TEENAGE KICKS」収録。**4** 代表曲「Marquee Moon」を収録したテレヴィジョンの1stアルバム。**5** 2ndアルバム『Adventure』からシングル・カットされた2曲を収録した7インチ。**6** バンドの代表曲である「Marquee Moon」のシングル盤。

パンク・ロックは今でも大好きな音楽　ダムド、ジャム、クラッシュ　最初に好きになったのはダムドだった

パンク・ロックは今でも大好きな音楽。ザ・ダムド、ザ・ジャム、ザ・クラッシュ。中でも最初に好きになったのは、ダムドだった。クラッシュと比べると俺にはダムドはわかりやすかったし、曲の"速さ"は衝撃的だった。ラット・スキャビーズと池畑潤二が、当時の俺の中ではドラマーの二大アイドルだったんだ。

ミッシェル・ガン・エレファントっていうバンド名は、ダムドの3rdアルバム『Machine Gun Etiquette』が元になっている。昔はレンタル・レコード屋っていうのがあって、そこにパンク・コーナーがあってさ、いろんなバンドの作品を見つけては聴いていた。そんなある日、ジャムやクラッシュと一緒に借りたレコードの中にダムドもあったんだ。それで当時、一緒にバンドを組んでいたベースの奴の家に遊びに行ったら、そいつがこのアルバムのことを"ミッシェル・ガン・エレファント"って言い間違えたんだよ。その時に一緒にいたシガが「それいいな、バンド名にしよう」って感じで決まった。それだけの話だよ。

「Neat Neat Neat」はミッシェルでもカバーもしていたし、今回紹介しているレコードの中でもダムドのタイトルが一番多い。『Machine Gun Etiquette』は、1曲目の「Love Song」から2曲目「Machine Gun Etiquette」に入るところがとにかくカッコいいんだ。7インチの「Love Song」は、メンバーがそれぞれ写った4種類のジャケットがあって、俺が持っているのはキャプテン・センシブルとデイヴ・ヴァニアンのバージョン。ラット・スキャビーズ盤も持っていた気がする。ナズ・ノマッド＆ザ・ナイトメアズの『I Had Too Much To Dream (Last Night)』は、ジャケットが気になって手に入れたらダムドの変名バンドだった。これも嗅覚なんだろうね。「なんだこれ？」ってピンと来て手に入れたレコードは、はずしたことがないんだよ。やっぱりダムドは、自分の中で思い入れの強いバンドだね。

ザ・クラッシュを初めて聴いたのは『Combat Rock』。そのあと関内の中古レコード屋で『動乱（獣を野に放て）』を買っ

た。7インチの「London Calling」は、たしかロンドンで手に入れたと思う。タイトルの文字色がポイントなんだよ。クラッシュはメロディが素晴らしい。レゲエを始めとする、いろんなルーツを取り込んで、彼らなりに解釈してひとつの音楽にしていて、本当にすごいと思う。あとはジョー・ストラマーの人柄だね。のちのち、本人に会うことになるんだけど、本当に来るもの拒まずで、懐の深いカッコいい人だった。ジョーがクラッシュの前にやっていたThe 101'ersは、パブ・ロックくくりのバンドなんだけど、友達から教えてもらってレコード屋に探しに行ったんだよね。このバンドもカッコいいんだよな。

ザ・ポーグスのシェイン・マガウアンには、フジロックで会ったことがある。向こうはベロベロに酔っ払っていてスタッフに担がれていたんだけど、俺が「シェイン、サインしてくれよ」って頼んだら、俺が着ていたタンクトップに「HELP」って書かれた。「それは今のお前の気持ちじゃねえか！」って思わず笑っちゃったよ。最高だよね！

ザ・ジャムは、とにかくスタイリッシュに思えた。細身のスーツ姿で演奏も鋭くて、そういうところに惹かれたんだと思う。最初、いわゆるギターをプレイする姿に憧れたきっかけは、たぶんポール・ウェラーだったんじゃないかな。ミッシェルの前身バンドでは「The Modern World」のカバーをやったりしていたしね。

パンク・バンドで言ったらスティッフ・リトル・フィンガーズも聴き込んでた。『Nobody's Heroes』のジャケは一見するとバーコードのように見えるんだけど、実はアルバム名がデザインされているんだ。カッコいいんだけどさ、わかりにくいとも思ったな。

レゲエを知ったのは、スティッフ・リトル・フィンガーズとクラッシュがきっかけ。『Nobody's Heroes』では、スペシャルズの「Doesn't Make It Alright」をカバーしていて、聴いた時は「おお、カッコいい！」って衝撃だった。音はカッコいいのに、ほかのパンク・バンドと比べていまいち知られてないのが不思議だっ

た。俺のまわりにいた仲間は全員大好きだったけどね。シガと毎日のように聴いてたよ。やっすい酒を飲みながら。

バズコックスは、パワー・ポップのような側面もあって好きだったな。ザ・ボーイズは、世の中的にはあまり知られていないバンドだけど「Soda Pressing」と「Sick On You」は、ミッシェルでカバーしてレコーディングもしたよ。

XTCも俺の中ではパンク。ギターの音がキレキレで、ポップなんだけど不協和音も使ったりしていてカッコいいんだ。ひねくれているんだけど、俺の中では正統派のパンク・バンドだと思う。大好きだったよ。少し話は逸れるけど、マイブラ（マイ・ブラッディ・ヴァレンタイン）も俺はずっとパンク・バンドだと思っているんだ。最初期のアルバム（『This Is Your Bloody Valentine』）がめちゃくちゃカッコいいんだよ。このレコードは渋谷のレコード屋で見つけて思わずジャケ買いしたんだけど、聴いた瞬間にザ・クランプスやダムドみたいな要素を感じ

てさ。簡単に弾けるのにカッコいいギター・リフが多いんだよね。「Tiger In My Tank」のギター・リフはすぐにコピーしたんだ。今でも弾ける。

セックス・ピストルズも好きだったけど、俺の印象としては「ハードロックみたいだな」って感じだった。クラッシュの『動乱（獣を野に放て）』も同じで、音が分厚かったんだよね。それよりもダムドやジャム、ギャング・オブ・フォー、XTCの"ソリッドなサウンド"のほうが好きだった。イーターは、バンド名がいいよね。これはなかなか思いつかないよ。"THE"が付いていないしね。ザ・ヴァイブレーターズもカッコよかった。The Birthdayの『MOTEL RADIO SiXTY SiX』のジャケットには、座ったイマイくんがラジカセに足をかけてるんだよね。『Pure Mania』のジャケットを狙ったわけじゃないけど……少し似ちゃったね（笑）。

テレヴィジョンは、ツアーで移動している時なんかに「マーキー・ムーン」をよく聴いていたよ。すごくリラックスで

きるんだ。2ndアルバムの『Adventure』も好きだね。リチャード・ヘル＆ヴォイドズの『Blank Generation』は、ちょっと気持ち悪い不協和音を入れながらカッティングしたり、半音で上がるような展開をしたり……少し変わっているんだけど、これはこれでカッコいいと思ったな。

オーストラリアのパンク・バンドもよく聴いていた。ザ・セインツにはバズコックスやイギー・ポップに通じる要素があったし、楽曲のポップな雰囲気が好きだった。あとレディオ・バードマンもぜひ聴いてほしい。オーストラリアのロック・バンドで一番有名であろうAC/DCはあまり聴いたことないんだけど。MC5とイギー・ポップ＆ストゥージズは1960年代のバンドだけど、俺の中ではパンク。感覚的に同じなんだよ。作品に込められたエネルギーがすさまじくてさ、それまでロックと呼ばれていた音楽を違う次元に持っていったと思う。この人たちがいなかったらパンクも生まれていないだろうし、あとの世代に対しても確実に大きな影響があったんじゃないかな。

PUB ROCK

Dr.Feelgood
Stupidity   12inch

Dr.Feelgood
Be Seeing You   12inch

Dr.Feelgood
Baby Jane／Looking Back   7inch

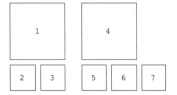

| 1 | | | 4 | | | |
| 2 | 3 | | 5 | 6 | 7 | |

1 全英チャート1位に輝いたドクター・フィールグッドのライブ・アルバム。邦題は『殺人病棟』。**2** ウィルコ・ジョンソン脱退後、新ギタリストとしてジッピー・メイヨを迎え制作された5thアルバム。プロデューサーはニック・ロウ。**3** 『Be Seeing You』からのシングル・カット盤。**4** 75年に発売されたメジャー・デビュー・アルバム。代表曲「She Does It Right」を収録。**5** 79年リリースのスタジオ・アルバム『Let It Roll』からのシングル・カット盤。**6** こちらも『Be Seeing You』からのシングル・カット盤。**7** 78年リリースの『Private Practice』からのシングル・カット盤。

Dr.Feelgood
Down By The Jetty　　　　　　　　12inch

Dr.Feelgood
Put Him Out Of Your Mind ／
Bend Your Ear　　　　　　7inch

Dr.Feelgood
She's A Windup ／ Hi-Rise　　7inch

Dr.Feelgood
Down At The Doctors ／
Take A Tip　　　　　　　　7inch

オリジナル曲とカバー曲で構成された2ndアルバム。邦題は『不正療法』。

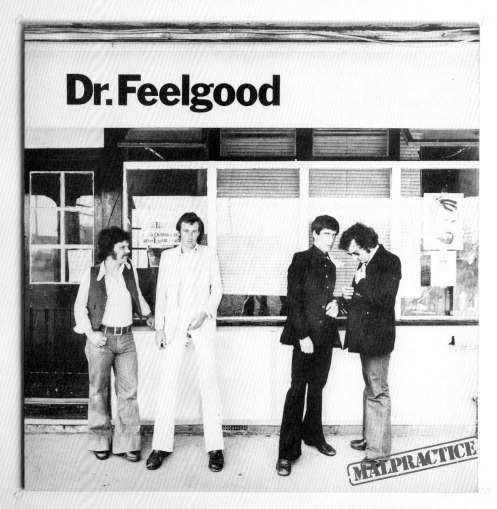

Dr.Feelgood
Malpractice   12inch

ジョニー・スペンス、ミック・グリーン、フランク・ファーリーによって再結成したザ・パイレーツの大名盤。77年発表。

1 : ROOTS 2 : PUNK 3 : PUB ROCK 4 : GARAGE 5 : ROCK 6 : DOMESTIC 7 : SKA
8 : ROCKABILLY & PSYCHOBILLY 9 : BRITISH 10 : SOUND TRACK 11 : US ALTANATIVE 12 : JAZZ

The Pirates
Out Of Their Skulls

12inch

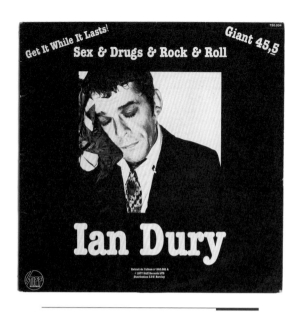

Ian Dury
Sex & Drugs & Rock & Roll ╱ Sweet Gene Vincent ╱
You᾽re More Than Fair   12inch

Ian Dury & The Blockheads
Laughter   12inch

Ian Dury & The Blockheads
Sueperman's Big Sister ╱
You'll See Glimpses   7inch

Johnny Kidd And The Pirates

Always And Ever ／ Dr. Feelgood　　　　　7inch

Johnny Kidd And The Pirates

Shakin' All Over　　　　　12inch

Kilburn & The High Roads

Handsome　　　　　12inch

1　イアン・デューリーが77年にスティフ・レーベルから
リリースした代表曲。チバが所有しているのはフランス盤。
2　ドクター・フィールグッドを脱退したウィルコ・ジョンソ
ンを迎えて制作された3rdアルバム。**3**　80年に発表したシン
グル。DCコミックスの著作権の問題を回避するために、"スー
パーマン"のスペルを意図的に変えている。**4**　ジョニー・キッ
ド&ザ・パイレーツが64年に発売したシングル。ウィルコ・ジョ
ンソンはドクター・フィールグッドというバンド名を、この作
品のB面の曲名から拝借したそうだ。**5**　ジョニー・キッド&
ザ・パイレーツによるUKチャート1位を記録した表題曲を含
む14曲入りの企画盤。**6**　イアン・デューリーがブロックヘッ
ズよりも前に組んでいたパブ・ロック・バンドのデビュー・ア
ルバム。

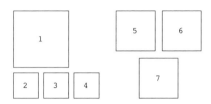

1 79年にロンドンのパブ・Hope & Anchor で行なわれたライブを収めたコンピ盤。**2** ロック・シーン随一のハーモニカ奏者が、ルー・ルイス・リフォーマー名義で79年にリリースしたスタジオ・アルバム。**3** 『Save The Wail』からのシングル・カット盤。**4** Hope & Anchor で開催された『FRONT ROW FESTIVAL』の模様を収録したコンピ盤。ウィルコ・ジョンソン・バンドやXTC、999、ダイアー・ストレイツらが参加している。**5** ドクター・フィールグッド脱退後のウィルコが率いたソリッドセンダーズの1st シングル。**6** ウィルコ・ジョンソンとルー・ルイスがタッグを組んだバンドの4曲入りEP。**7** 81年に発表したシングル盤。

V.A.
The London R & B Sessions
〈Live At The Hope And Anchor〉 12inch

Lew Lewis Reformer
Save The Wail 12inch

Lew Lewis
Lucky Seven ／ Night Talk 7inch

V.A.
Hope & Anchor Front
Row Festival 12inch

Wilko Johnson Solid Senders

Walking On The Edge ╱ Dr Dupree　　　　7inch

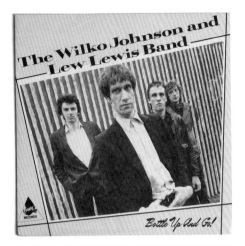

The Wilko Johnson And Lew Lewis Band

Caravan Man ╱ Bottle Up And Go! ╱
I Wanna By Your Lover ╱ Looked Out My Window　7inch

Wilko Johnson Solid Senders

Casting My Spell On You ╱
Looked Out My Window　　　　　　　　7inch

Nine Below Zero
Homework ╱ Is That You   7inch

Nine Below Zero
Three Times Enough ╱
Doghouse   7inch

The Count Bishops
Train, Train / Taking It Easy   7inch

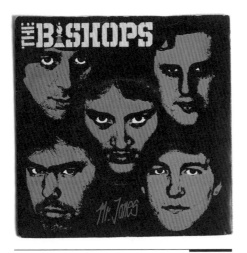

The Bishops
Mr.Jones ／ Human Bean ／ Route 66（Live）　　　7inch

The Bishops
I Want Candy ／ See That Woman　　　6inch

The Bishops
I Take What I Want ／ No Lies　　　7inch

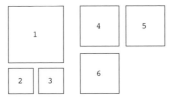

1 オーティス・ラッシュの楽曲のカバーを収めた、ナイン・ビロウ・ゼロのシングル盤。**2** 2ndアルバム『Don't Point Your Finger』からのシングル・カット盤。81年発売。**3** ロンドン・パブ・ロックを牽引したバンドによる76年のシングル。**4** カウント・ビショップスから改名したのち、アメリカのシンガー・ソングライターであるジョン・D・ラウダーミルクの楽曲をハードにカバーした1枚。**5** 改名後に発表したアルバム『Cross Cuts』からの先行シングルで、タイトル曲はザ・ストレンジラヴズのカバー。**6** こちらも『Cross Cuts』からのシングル・カット盤。

Eddie And The Hotrods

Teenage Depression 12inch

Eddie And The Hotrods

Teenage Depression 12inch

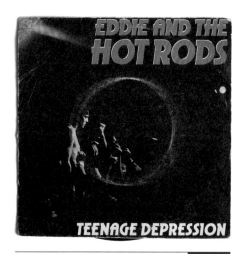

Eddie And The Hotrods

Teenage Depression／Shake 7inch

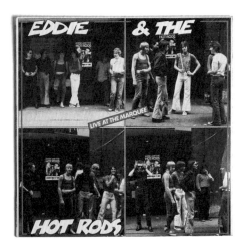

Eddie And The Hotrods

Live At The Marquee 7inch

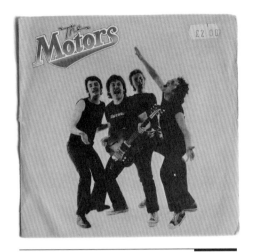

The Motors
Dancing The Night Away ／ Whisky And Wine　7inch

The Motors
Be What You Gotta Be ／
You Beat The Hell Outta Me　7inch

1	2	5	6
3	4		

1 パブ・ロックとパンク・ロックの掛け橋となったエディ＆ザ・ホットロッズの1stアルバム。**2**　『Teenage Depression』の別ジャケ・バージョン。**3**　「Teenage Depression」のシングル盤。B面に収録された「Shake」はサム・クックのカバー。**4** ロンドンのMarquee Clubでのライブの模様を収めたEP。バンドはこの作品でデビューした。**5**　モーターズが77年にリリースした1stアルバム『1』からのリード・シングル。**6**　77年リリースの2ndシングル。

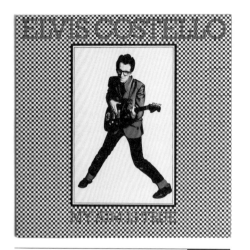

Elvis Costello

My Aim Is True   12inch

Elvis Costello And The Attractions

This Year's Model   12inch

Elvis Costello

Watching The Detectives ／
Blame It On Caine ／ Mystery Dance   7inch

1	2	4
3		

1 77年にリリースされたデビュー・アルバム。
2 自身のバンドであるジ・アトラクションズを率い
て制作された2ndアルバム。**3** クラッシュとバー
ナード・ハーマンからインスピレーションを受けたと
いう4枚目のシングル。**4** ジ・アトラクションズを
率いた熱演をパッケージしたブート盤。D面にはデイ
ヴ・エドモンズ＆ロックパイルの演奏も収録。

ELVIS GOES TO WASHINGTON
AND
DAVE EDMUNDS AND ROCKPILE
DON'T

ELVIS COSTELLO
AND THE ATTRACTIONS
WASHINGTON D.C. '79

DAVE EDMUNDS
AND ROCKPILE
NEW YORK 3/78

EXCELLENT STEREO
RADIO BROADCASTS

MADE IN INDIA

PACIFIST
— RECORDS —

1 : ROOTS   2 : PUNK   3 : PUB ROCK   4 : GARAGE   5 : ROCK   6 : DOMESTIC   7 : SKA
8 : ROCKABILLY & PSYCHOBILLY   9 : BRITISH   10 : SOUND TRACK   11 : US ALTERNATIVE   12 : JAZZ

**Elvis Costello And The Attractions /
Dave Edmunds And Rockpile**

Elvis Goes To Washington And
Dave Edmunds And Rockpile Don't   12inch

073

79年にリリースされたジョー・ジャクソンのデビュー・アルバム。代表曲「Is She Really Going Out with Him?」収録。

Joe Jackson
Look Sharp! 12inch

パブ・ロックは、シガがドクター・フィールグッドを教えてくれたのがきっかけで聴くようになったんだ。ウィルコ・ジョンソンが来日した時に、ミッシェルが渋谷CLUB QUATTROでライブのオープニング・アクトをやって、そこでウィルコとも話すことができた。その後もウィルコとは交流が続いていて、いろんな思い出がたくさんある。ドクター・フィールグッドの『Down By The Jetty』は、俺の原点みたいな作品だね。『Malpractice』は、レコードのジャケットもカッコいい。リー・ブリローの足が長いんだよ。余談だけど、ジャケットで着てる白いスーツのセットアップは一回も洗ってないって聞いたことがある。

俺はフィールグッドのギタリストは、全員好きなんだ。ウィルコのイメージが強いバンドかもしれないけど、個人的にはジッピー・メイヨ（2代目ギタリスト）も素晴らしいと思う。ウィルコに関しては、ソロももちろんカッコいいけどフィールグッドの時が一番好きかな。

フィールグッドの楽曲には、7thコードやオープン・コードの使い方を教えてもらった。そういう響きを使ってどのように曲を作っていくかってことにヒントをもらったし、楽曲構築の魅力を知ったんだ。

もしもこのバンドに出会っていなかったら、俺はきっと"ロックンロールの成り立ち"がわかっていなかったかもしれない。フィールグッドのカッコよさを知ったことで、ストーンズもフーもビートルズも聴こえ方が変わって、「こんなにもカッコいいんだ」ってことに気づくことができたんだ。

イアン・デューリーには、ファンクとロックンロールの要素があって好きだった。ラップの走りみたいな歌い方をするなって印象がある。なぜ惹かれたのかはわからないんだけど……グッときたんだよね。キルバーン＆ザ・ハイ・ローズもホンキートンクな雰囲気があって素晴らしいよ。

ドクター・フィールグッドに出会っていなかったら
俺はきっと "ロックンロールの成り立ち" が
わかっていなかったかもしれない

ザ・パイレーツを知ったのはアベが
きっかけ。「ミック・グリーンはウィルコ
の師匠なんだよ」って教えてくれたんだ。
一時期『Out Of Their Skulls』は、レ
コード屋で見つけたら買うようにしてい
たな。たまにDJをやっているとお客さ
んに「これ、なんてバンドですか?」っ
て聞かれることがあって、そのたびに
「じゃあ、やるよ」ってその場であげたり
してたんだ。やっぱり俺が好きな音楽を
聴いてもらえたらうれしいからね。

ミック・グリーンとは、ミッシェルが
スタジオに入って曲を作ったりしている
んだけど、俺自身は一緒にやってないん
だよね。なぜか、あの時は他の人とやる
のが嫌だったんだよ。レコーディングは
ツアー帰りのタイミングで、他の3人は
ひと足先に東京に戻ってセッションした
んだけど、俺は行ってない。

ミックに限らず、ウィルコにしても
ジョー・ストラマーにしてもヘッドコー
ツのビリー・チャイルディッシュにして
も、自分の好きなミュージシャンと共演

してもなぜかどこか冷静になってしまうんだよね。やっぱり同じステージに立って音を出したらみんな一緒だと思っているし、特に昔は「全員ぶっ殺してやる」って感じでライブをやっていたから。

エルヴィス・コステロは、ワシントンでのライブ盤（『Elvis Goes To Washington And Dave Edmunds And Rockpile Don't』）がカッコいい。ブート盤だけどね。このアルバムは一番キレキレのジ・アトラクションズ期の作品で、アタマから本当にヤバい。コステロの歌がまたうまいんだよ。チューニングはちょっと狂ってるけど。俺は基本的にスタジオ盤が好きで、ライブ盤はあんまり聴かないんだけど、このレコードは思い入れもあって特別。中野サンプラザでやったコステロのライブを観に行ったことがあるんだけど、その頃にはコステロの体がものすごくデカくなっててビックリした。恐竜みたいだと思った。その光景がやけに印象に残っているな。ティラノサウルスみたいだなって。もちろん演奏は良かったよ。

パブロックの魅力を伝える作品で言えば、『The London R&B Sessions』ってオムニバスもいいよ。収録されている楽曲のセレクトの仕方や曲順の構成は、編集盤としても魅力があると思う。この作品にはウィルコやパイレーツも入ってるんだけど、何よりもルー・ルイス（エディ・アンド・ザ・ホッドロッズにも在籍していたハーモニカ奏者）が最高。何度も刑務所に入ったりしているコソ泥なんだけど、ブルース・ハープの天才だと思う。完全に俺のルーツになっているようなブルース・ハープ奏者だね。でも俺の場合、ブルース・ハープはルーのようにメロディを奏でるようなアプローチというよりも、アンサンブルの一部として考えている。だから、バンドの演奏に対して管楽器的な要素を加えるような感じかな。

ジョー・ジャクソンは、音が硬いところが好きだった。ザ・モーターズも同じ時期に出会って聴いていたよ。ナイン・ビロウ・ゼロは、ジャケットのデザインからして最高。「Homework」はカバーだけど名曲だよ。

GARAGE

89年にイギリスで結成されたガレージ・ロック・バンドの1stアルバム。ミッシェル・ガン・エレファントの"THEE"表記は彼らからの影響によるもの。

thee Headcoats
Billy Childish: Crojack: Bruce Brand

I'm a Headcoat Baby!..

Man in Headcoat...

Do The Headcoat!...

Put on your Headcoat!...

Got my Headcoat on!...

Strap that thing upon your Head!...

Headcoat Down!..

HEADCOATS DOWN!

Thee Headcoats
Headcoats Down!   12inch

アメリカのガレージ・ロック・シーンを代表するバンドの2ndアルバム。66年作品。

The Sonics

Boom　　　　　　　　　　　　　　12inch

The Sonics
Here Are The Sonics　　　　　12inch

The Sonics
Unreleased　　　　　12inch

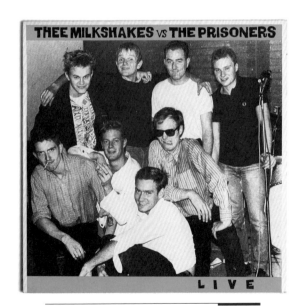

Thee Milkshakes VS The Prisoners
Live　　　　　12inch

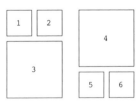

■1 65年にリリースされたソニックスのデビュー・アルバム。■2 未発表音源を集めたコンピレーション・アルバム。■3 詩人や画家としても活躍したビリー・チャイルディッシュ率いるミルクシェイクスと、ネオ・モッズを代表するザ・プリズナーズによるスプリット・ライブ盤。■4 79年に発表されたフレイミン・グルーヴィーズの6thアルバム。■5 3rdアルバムにして、ガレージ・ロック色が強まった1枚。■6 パワー・ポップ・サウンドへのシフトを感じさせるアルバム。76年リリース。

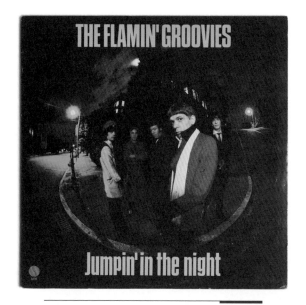

The Flamin' Groovies
Jumpin' In The Night   12inch

The Flamin' Groovies
Teenage Head   12inch

The Flamin' Groovies
Shake Some Action   12inch

V.A.
Back From The Grave Rockin' 1966 Punkers!   12inch

V.A.
Like Nothing Your Ears Have
Ever Heard Before! Volume 1   12inch

V.A.
Born Bad, Volume Two   12inch

V.A.
Las Vegas Grind!   12inch

V.A.
Ho-Dad Hootenanny!
(Beer Blast Blow Out '65!)   12inch

1	2	6

3	4	5	7	8	9

1 クリプト・レコードによる、60年代のガレージ・ロックを集めたコンピ・シリーズの1枚。**2** サイコビリーやガレージ・ロックのバンドがカバーしてきた元ネタ楽曲ばかりを集めたコンピ・シリーズ。**3** 知られざるロカビリー・ナンバーを集めた人気コンピレーション・シリーズのVol.2。**4** ラスヴェガスのストリップ・ショーを華やかに彩る楽曲を多数コンパイルしたオムニバス盤。**5** クリプト・レコーズ編集による、フラット・ロックやパーティ・ガレージの楽曲をまとめたコンピ盤。**6** 人気曲「Summer Fun」収録した、バラクーダズのデビュー・アルバム。81年リリース。**7** 85年にリリースされたLP。**8** ニューヨークで結成されたガレージ・パンク・トリオが89年にリリースした作品。**9** 90年に発売されたザ・デヴィルドッグスの2ndアルバム。

Barracudas
Drop Out With The Barracudas　　　　12inch

Barracudas
(I Wish It Could Be) 1965 Again　12inch

The Devil Dogs
The Devil Dogs　　　　　　12inch

The Devil Dogs
Big Beef Bonanza!　　　　12inch

ガレージ・ロックとの出会いは、ヘッドコーツとソニックスがきっかけだった。両方とも池袋にあったWAVEってレコード屋で見つけたんだ。

ある日、店に行ったらソニックスの『Boom』とヘッドコーツの『Headcoats Down!』が並んで飾ってあって、なんの前情報もなかったけどジャケットがカッコよかったから「たぶんパンクなんだろうな」って思って、店員に頼んで試聴させてもらったんだけど……ものすごい衝撃だった。

ガレージ・ロックを紹介するのであれば、『Back From The Grave』というオムニバス盤も最高。俺は、このあたりのガレージ・パンクのバンドに出会ったのをきっかけに、60年代のロックンロールやサイケデリックなどを改めて聴き直すようになっていったんだ。ガレージ・バンドのことは、コンピレーション・アルバムで知ることが多かったよ。

フレイミン・グルーヴィーズは、ドクター・フィールグッドがきっかけで聴くようになったバンド。ミッシェルでイギリスにレコーディングをしに行った時、『Jumpin' In The Night』のジャケットが撮影された場所を探して、見に行ったりしたんだよね。

オムニバス盤の『Las Vegas Grind』はおもしろいよ。ストリップ・ショーの合間に生バンドが演奏するんだけど、その音楽のコンピレーション盤なんだ。妖しい雰囲気を漂わせるビッグバンド・スウィングなんだけど、みんなめちゃくちゃうまい。このシリーズは何枚かリリースされているはずだけど、名作。こういったオムニバスに収録されている曲でバンドを知って、それからアルバムを探したこともよくあったね。

ハタチ前後の頃は、いろんな音楽に出会うきっかけがたくさんあった。ただ時間はないし、バイトしてバンドやって大学にも行って……大変だったよ。充実していたかって？　充実感なんて全くなかったよ。

ROCK

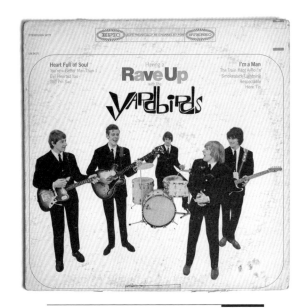

The Yardbirds

Having A Rave Up With The Yardbirds   12inch

The Beatles

Revolver   12inch

The Beatles

Let It Be   12inch

The Beatles

ヘルプ／
涙の乗車券（チケット・トゥ・ライド）／
アイム・ダウン／ディジー・ミス・リジー　7inch

The Animals
The Animals   12inch

Dave Clark Five
25 Thumping Great Hits   12inch

The Kinks
Kinksize Session   7inch

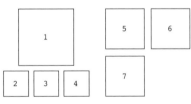

1 アメリカでリリースされた編集盤。前半がジェフ・ベック在籍時のシングル、後半がエリック・クラプトン期の楽曲で構成されている。2 66年に発表された7thアルバム。3 ビートルズ解散後の70年に発表された13作目のオリジナル・アルバム。4 日本独自の4曲入りEP。65年発売。5 ビートルズら多くのバンドと共に、ブリティッシュ・インヴェイジョンを牽引したバンドの1stアルバム。6 ドラマーのデイヴ・クラークを中心にトッテナムで結成されたロック・バンドのベスト盤。「Glad All Over」、「Because」などヒット・ナンバーを収録。7 デビューした64年にリリースされた1st EP。リチャード・ベリー「ルイ・ルイ」のカバーを収録する。

Grand Funk
Shinin' On   12inch

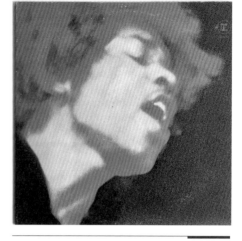

The Jimi Hendrix Experience
Electric Ladyland   12inch

The Doors
The Doors   12inch

The Challengers
The Man From U.N.C.L.E.   12inch

Manfred Mann
The Five Faces Of Manfred Mann　　　　12inch

Manfred Mann
Instrumental Assassination　　　　7inch

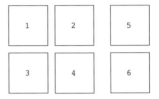

1	2	5
3	4	6

1 前作に続きトッド・ラングレンをプロデューサーに迎えた8thアルバム。写真のとおり、LP盤にはジャケットが3Dで見えるメガネが付く。**2** ザ・ジミ・ヘンドリックス・エクスペリエンス名義で68年に発表した代表作。「Voodoo Chile」や「Crosstown Traffic」などを収録。**3** 『ハートに火をつけて』の邦題で知られる1stアルバム。**4** 60年代にロサンゼルスで結成されたインスト・サーフ・ロック・バンドのLP。表題曲は人気スパイ・ドラマ『0011ナポレオン・ソロ』のテーマ。**5** 60年代ブリティッシュ・ビートを代表するバンドのデビュー作（アメリカでは2ndアルバム）。**6** 66年リリースのEPで、"ジャズ・ロック"が4曲入り。ザ・フーやキンクスを手がけたシェル・タルミーがプロデュースした1枚。

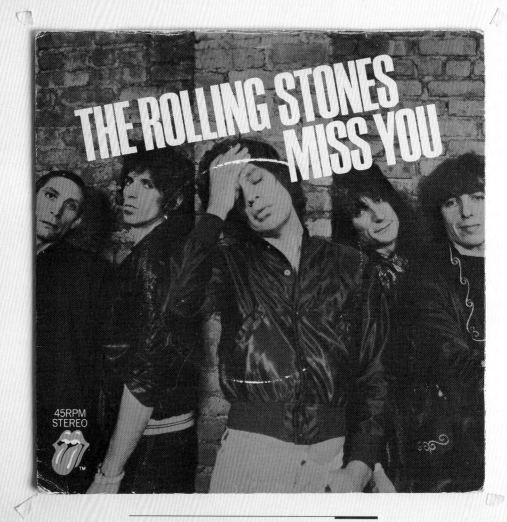

The Rolling Stones

Miss You ／ Far Away Eyes

7inch

The Rolling Stones
No Stone Unturned 12inch

The Rolling Stones
ジャンピン・ジャック・フラッシュ／
チャイルド・オブ・ザ・ムーン 7inch

The Rolling Stones
Vol. 4 12inch

1 78年のアルバム『Some Girls』からの先行シングル。表題曲はディスコの影響を取り入れたダンス・ナンバー。**2** シングルのB面曲で構成された企画盤。73年発売。**3** 68年発売、バンドの代表曲のシングル盤。**4** イギリスで3枚目、アメリカで4枚目となったアルバム『Out Of Our Heads』の日本盤。「(I Can't Get No) Satisfaction」などを収録している。

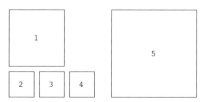

1 デビューしたばかりの64年にリリースしたEP。シカゴのチェス・スタジオで行なったセッションから5曲を収録。2 64年の4月に発売されたストーンズのデビュー・アルバム。3 70年公開のドキュメンタリー映画『ギミー・シェルター』の劇中曲として使用された、代表曲のライブ音源を収録。4 72年にリリースされたコンピ盤。収録曲の大半をカバー曲が占めており、さらにそのうち5曲はチャック・ベリーのカバーが収められる。5 デッカ・レコードに在籍していた70年までの未発表音源で構成した企画盤。ブライアン・ジョーンズとミック・テイラーの両方が一緒に掲載されるジャケットという点でも珍しい1枚。

The Rolling Stones
Five By Five   7inch

The Rolling Stones
The Rolling Stones   12inch

The Rolling Stones
Gimme Shelter   12inch

The Rolling Stones
Rock 'N' Rolling Stones   12inch

1 : ROOTS   2 : PUNK   3 : PUB ROCK   4 : GARAGE   5 : ROCK   6 : DOMESTIC   7 : SKA
8 : ROCKABILLY & PSYCHOBILLY   9 : BRITISH   10 : SOUND TRACK   11 : US ALTANATIVE   12 : JAZZ

The Rolling Stones

Metamorphosis   12inch

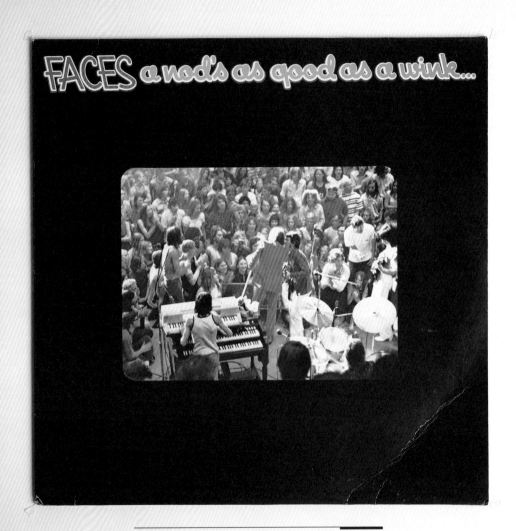

Faces

A Nod's As Good As A Wink...To A Blind Horse   12inch

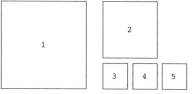

1 ヒット・ナンバー「Stay With Me」を収録した代表作。71年発表。**2** フェイセズの前身バンドであり、ザ・フーと並びモッズ・バンドの代表格として知られるスモール・フェイセスのベスト盤。**3** ベンチャーズによるクリスマス・アルバム。65年発売。**4** さまざまな音楽要素を取り入れ、アメリカ・オルタナ・シーンで独特の存在感を放ったバンドが96年に発売した2ndアルバム。

Small Faces
Small Faces' Greatest Hits　　　12inch

The Ventures
The Ventures In Christmas　12inch

Soul Coughing
Irresistible Bliss　　　　12inch

1：ROOTS　2：PUNK　3：PUB ROCK　4：GARAGE　5：ROCK　6：DOMESTIC　7：SKA　8：ROCKABILLY & PSYCHOBILLY　9：BRITISH　10：SOUND TRACK　11：US ALTERNATIVE　12：JAZZ

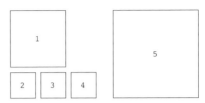

1 ヨーロッパの数ヵ国でリリースされた、2ndアルバム『A Quick One』編集盤。こちらはドイツ盤で、イギリス盤やアメリカ盤とは内容が異なる。**2** 65年に発売された1stアルバム『My Generation』のアメリカ盤。**3** 『My Generation』のヴァージン・レコードからの再発盤。**4** こちらはブランズウィック・レコードによるUKオリジナル盤。**5** オリジナル・アルバム未収録のシングル。70年に発売された。

The Who
The Who   12inch

The Who
The Who Sings My Generation 12inch

The Who
My Generation 12inch

The Who
My Generation 12inch

1 : ROOTS 2 : PUNK 3 : PUB ROCK 4 : GARAGE 5 : ROCK 6 : DOMESTIC 7 : SKA
8 : ROCKABILLY & PSYCHOBILLY 9 : BRITISH 10 : SOUND TRACK 11 : US ALTERNATIVE 12 : JAZZ

The Who

The Seeker / Here For More

7inch

WHITE LIGHT/WHITE HEAT
THE VELVET UNDERGROUND

The Velvet Underground
White Light/White Heat   12inch

Lou Reed
Street Hassle   12inch

David Bowie
Scary Monsters   12inch

1 ： ROOTS　2 ： PUNK　3 ： PUB ROCK　4 ： GARAGE　5 ： ROCK　6 ： DOMESTIC
8 ： ROCKABILLY & PSYCHOBILLY　9 ： BRITISH　10 ： SOUND TRACK　11 ： US ALTERNATIVE　12 ： SKA　　 ： JAZZ
7 ： SKA

1	2	3

1 68年リリースの2ndアルバムで、ジョン・ケイルが参加した最後の作品。**2** ルー・リードが78年に発表した8枚目のソロ・アルバム。**3** デヴィッド・ボウイが80年にリリースした13thアルバム。キング・クリムゾンのロバート・フリップや、ザ・フーのピート・タウンゼントらが参加している。

オーストラリアの多才なシンガー・ソングライターが率いるバンドの2枚目のアルバム。85年作品。

Nick Cave & The Bad Seeds
The Firstborn Is Dead   12inch

俺の中の一番古い音楽の記憶は、ザ・ビートルズ。親父が持っていた何かのシングルと「Let It Be」が、家で流れていたのをうっすらと覚えている。初めて自分で買ったレコードはゴダイゴの「Monkey Magic」。テレビ・ドラマ『西遊記』の主題歌で、カッコいいと思ったんだ。そのあとYMO（YELLOW MAGIC ORCHESTRA）も流行って、当時俺も聴いてたよ。

ビートルズに関してはあまり詳しくないんだけど、アルバムでは『Revolver』が好きだね。やっぱりポール・マッカートニーは天才だと思う。メロディ・メーカーとして、あれほどの才能を持った人っていないんじゃないかな。あと、『Abbey Road』のB面のメドレーをポールが手がけたって知った時は驚いたね。ジョン・レノンも好きだよ。ジョンの音楽からは彼のルーツがしっかり見えるんだ。

ザ・ローリング・ストーンズは、ほんとずっとカッコいいバンドだよね。半世紀以上も前に生まれたロックンロールが"想い出"にはならない。今聴いても新鮮に響くところにグッとくる。

俺が持っている『Metamorphosis』は、ツアーで訪れた長崎の古着屋で見つけたものなんだよ。その古着屋は散歩をしていた時にふらっと入った店で、最初は古着を見てたんだけど、奥にレコードがたくさん置いてあるのを発見してさ。欲しかった作品ばかりだし、安くってさ、「うわ！ヤバい！」ってすごくテンションが上がって（笑）。それで店の人に「ちょっと金をおろしてくるから待ってて！」って頼んで、慌てて近くにあった地方銀行へ駆け込んだんだ。でも、そこでは俺の持っていたキャッシュカードが使えないって言われてさ。もう頭にきて銀行の前で途方に暮れていたら、隣のラーメン屋から俺のことを知っているって人が出てきて、別の銀行の場所を教えてくれたんだよ。で、なんとかお金を下ろすことができて、結局その古着屋にあった欲しかったレコードは全部買った。そういう出会いだった。

1：ROOTS　2：PUNK　3：ROCKABILLY & PSYCHOBILLY　4：GARAGE　5：ROCK　6：DOMESTIC　7：SKA　8：ROCKABILLY & PSYCHOBILLY　9：PUB ROCK　10：BRITISH　11：SOUND TRACK　12：US ALTANATIVE　13：JAZZ

そういうふうに掘り出し物を見つけることに関しては、けっこういろんな人から"嗅覚がすごい"って褒められることが多いんだ。俺はふらっと歩いてるだけなんだけど、「この古着屋にはなんかあるかもな」ってピンと来るんだよね。レコードも同じで、そういう"出会い"の匂いがわかるんだよ。まぁ、おもに海外だったんだけど。この本で紹介しているレコードは、そうやって出会ったものばかりだね。

ザ・フーもドクター・フィールグッドがきっかけで改めて聴き直したバンド。アルバムもたくさん持っているけど、俺は『A Quick One』が好きかな。『My Generation』はバージョン違いで何枚か持ってる。ツアーTシャツもカッコいいよね。

ザ・キンクスに関しては、なぜか日本人の琴線に触れるところがあるんだと思う。ムーディだし、メロディアスだし……60年代の日本にはキンクスの真似をしたバンドもたくさんいたと思うんだよ。俺

にはグループ・サウンズのようにも聴こえる。初期の"速さ"を感じさせるアレンジも大きな魅力だよね。マンフレッド・マンに関してはジャケが好きだったな。

あとフェイセズ。「Stay With Me」が大好きで、ああいう感じのロックンロールをいつかバンドで表現してみたいんだ。でも絶対に真似できないと思わされる究極の1曲。

イントロのギター・リフから心をグッとつかまれるし、歌が入る前にテンポが落ちるところなんかたまらない。ロッド・スチュワートは、歌声も素晴らしいんだけどメロディ・ラインの譜割がすごくうまいんだよね。スモール・フェイセスも好きだったけど、俺はフェイセズのほうが好きだな。

ミッシェルの「バードメン」は、シングルを作らなきゃいけないってことでレコーディング合宿をしている時、夜中に部屋でザ・クリエイションの「How Does It Feel」を聴いていたら突然頭の中で出

来上がった曲なんだ。「How Does It Feel」とは雰囲気が全然違うんだけどね。頭の中で鳴っている音でコードはわかるから、朝になってすぐ「シングルができたぞ！」ってみんなをスタジオに呼んで、コード進行を説明して、バンドでパッと合わせたら、ほんの1時間くらいでアレンジまで完成したんだ。そうやって曲が生まれることはたまにあるんだけど、あの時の手応えは最高だった。今でも鮮明に覚えているよ。

ルー・リードに関しては、ソロ作品から入って、ザ・ヴェルヴェット・アンダーグラウンドはあとになってから聴いた。ルー・リードは、イマイくんが一番尊敬しているアーティストで、来日した時に宿泊しているホテルまでサインをもらいに行くほどだったらしいよ。そんな話を聞いたから、ルー・リードのTシャツをたまたま見かけた時に買って、イマイくんにプレゼントしたんだよ。そしたら「あまりにも好き過ぎて着れない」って言っていたんだけど、しばらくしたら着てくれてたよ（笑）。

ニック・ケイヴにはロカビリーの要素があるよね。しかもそういう音楽が大好きな連中にもちゃんと届いている。さすがだと思ったよ。

『The Firstborn Is Dead』のジャケットはすごくシンプルでキレイだよね。飾っておきたいレコードって感じがする。楽曲を聴くと、クラシックの組曲みたいなんだ。でも好きなんだ。そこに理由なんてないね。

忘れられない思い出なんだけど、昔、川崎のクラブチッタでニック・ケイヴの来日公演があったんだ。ブリクサ・バーゲルト（アインシュテュルツェンデ・ノイバウテンのリーダーでニック・ケイヴ＆ザ・バッドシーズの創設メンバー）がギターで参加してるライブでさ、ものすごく観たかったんだけど、チケットが取れなかったんだよ。あまりにも悔しいから、ライブ当日に会場まで行って、入り口でずっとライブに入っていく連中を睨んでいたことがあった。それくらい観たかったんだよ（笑）。

DOMESTIC

Rockin' Ichiro & Boogie Woogie Swing Boys
Honey Mustard And Onion　　　　　12inch

```
        ┌─────────┐
        │    1    │
        │         │
        └─────────┘
┌─────┐ ┌─────┐ ┌─────┐
│  2  │ │  3  │ │  4  │
└─────┘ └─────┘ └─────┘
```

1 99年に発売されたデビュー作。**2** 80年代に活躍したガールズ・ロック・グループのミニ・アルバム。いまだにクラブで人気の高い「Peter Gunn Locomotion」など5曲を収める。**3** 日本のガレージ・ロック～サイコビリー・シーンを牽引するバンドの99年作品。**4** 一時期 The 5 TEARDROPS 名義でも活動したロカビリー・バンドが88年にリリースしたアルバム。

1：ROOTS　2：PUNK　3：PUB ROCK　4：GARAGE　5：ROCK　6：US ALTERNATIVE　7：SKA
8：ROCKABILLY & PSYCHOBILLY　9：BRITISH　10：SOUND TRACK　11：DOMESTIC　12：JAZZ

Go-Go 3
Everybody Prefers　　　　　12inch

Monster A Gogo's
Blow Up Your Head　　　　　12inch

The Tear Drops
The Tear Drops　　　　　12inch

1980〜90年代にかけてのネオGSムーブメントにおいて、中心的な存在感を放ったバンドが87年に発表した作品。

The Strikes
The Man With The Golden Ramrod   10inch

日本のロックの入り口はルースターズとモッズだったという話をしたけど、自分と同じくらいの世代だと先輩バンドのザ・ストライクスは、演奏も曲もすごくカッコよかった。昔からすごく世話になっていて、ミッシェルが初めて出した『MAXIMUM! MAXIMUM!! MAXIMUM!!!』はライブ盤なんだけど、その時に前座をやってくれたのがストライクスだったんだ。しかも機材も貸してくれて。当時、会場にいたお客さんはストライクス目当ての人のほうが多かったんじゃないかな。今の俺が"DJで何をかけたいか？"をテーマに選曲を考えたら、おもしろいことに日本のバンドばかりだったんだよね。もちろんストライクスは絶対入ってくる。あとはロッキンイチローやモンスター・ア・ゴーゴーズもね。

　ブランキー・ジェット・シティについては、フェスやイベントで一緒になるようになった1990年代後半まで曲を聴いたことがなかったんだ。ある時、今の事務所の社長が運転する車で曲がかかっていて、それを聴いたのが最初だった。「このカッコいいバンド、誰？」って感じでね。そのあとに芸森（北海道札幌芸術の森）で開催された『HASSIN WODER ROCKET'98』というフェスで一緒になって、初めてライブを観たんだけど、むちゃくちゃカッコよかった。照さんはROSSOで一緒にやっていたこともあって、音楽との向き合い方を始めとしていろんな面で影響を受けた。あの人は自分の信じた道を迷うことなく突き進める人だと思う。達也くんは、大好きな人間だね。GWF（The Golden Wet Fingers）で一緒にバンドもやってるし、昔はDJのイベントで一緒になることも何回かあった。一度ひたすらクラッシュの曲を2枚組のベスト盤だけでつないでいたのはおもしろかったな。ベンジー（浅井健一）は一緒にバンドをやったことがないので何とも言えないけど、敵う人がいないっていうくらい天才。あれほどカッコいいギターを鳴らして、あそこまで歌を歌えるかって言ったら俺にはできない。ベンジーの作る音の世界は本当にすごい。俺は"心にグッとくる音楽"が好きで、その時の自分にとって最高到達点の表現じゃないとダメ。あの人は常にそういう音楽を作っていると思う。

SKA

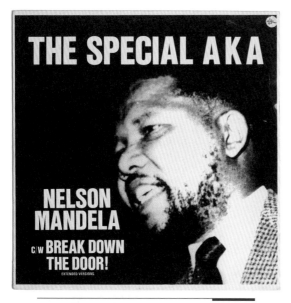

1: ROOTS　2: PUNK　3: PUB ROCK　4: GARAGE　5: ROCK　6: DOMESTIC　7: SKA　8: ROCKABILLY & PSYCHOBILLY　9: BRITISH　10: SOUND TRACK　11: US ALTERNATIVE　12: JAZZ

1 スペシャルズの解散後、リーダーのジェリー・ダマーズが結成したユニットによるシングル。表題曲はアパルトヘイト政策を行なっていた南アフリカ政府を非難したプロテスト・ソング。**2** ギャズ・メイオール率いるオーセンティック・スカ／レゲエ・バンドの2ndアルバム。**3** イギリスのネオ・スカ・シーンを代表するバンドの81年作。「Can Can」、「Walking In The Sunshine」などシングル・ヒットしたナンバーが収められる。**4** ジャマイカの人気レゲエ・シンガーであるフロイド・ロイドと50年代から活躍するジャマイカのスカ・レジェンドのローレル・エイトキンを迎えた、ロンドンのスカ・バンド1stアルバム。プロデューサーはギャズ・メイオール。

The Special AKA
Nelson Mandela ／ Break Down The Door!　12inch

The Trojans
Spirit Of Adventure　12inch

Bad Manners
Gosh It's...　12inch

Floyd Lloyd & The Potato 5 Meet Laurel Aitken
Floyd Lloyd & The Potato 5 Meet Laurel Aitken　12inch

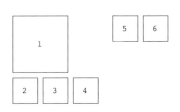

The Specials
Rat Race ／ Rude Boys Outa Jail　　　　7inch

1 2トーン・ムーブメントの立役者であるスペシャルズが80年に発売したダブルA面シングル。**2** 人気曲「Ghost Town」の"Extended"バージョンなど収めたLP。**3** 80年リリースの2ndアルバム『More Specials』からのシングル・カット。B面はボブ・ディランのカバー。**4** 2トーン・ムーブメントを記録したドキュメンタリー映画『Dance Craze』のサントラ。スペシャルズ、ザ・ビート、ザ・セレクター、マッドネスらのライブ音源を収録。**5** 89年にリリースされたスカパラ初の正式音源で、ファンには"黄色いアナログ"として知られる1枚。ロシア民謡をスカ・アレンジで聴かせる「ペドラーズ」や長く演奏されている「スキャラバン」などを収録。**6** 日本を代表するオーセンティック・スカ・バンドが89年にリリースした作品。

The Specials
Ghost Town ／ Why? ／
Friday Night, Saturday Morning　12inch

The Specials
Do Nothing ／ Maggie's Farm　　7inch

V.A.
Dance Craze The Best Of
British Ska…Live!　　　　12inch

Tokyo Ska Paradise Orchestra
Tokyo Ska Paradise Orchestra　12inch

The Ska Flames
Ska Fever　12inch

　レゲエやスカといった音楽への扉は、クラッシュ、スティッフ・リトル・フィンガーズ、あとフィッシュマンズで知った部分は大きい。ただ当時はジャンルとか関係なく、バンド単位で聴いていた。フィッシュマンズとは大学が一緒で、シンジさん（佐藤伸治）や欣ちゃん（茂木欣一／現・東京スカパラダイスオーケストラ）とは大学時代から交流があったよ。日本だとスカフレイムスやスカパラ（東京スカパラダイスオーケストラ）も好きだった。スカパラとは「カナリヤ鳴く空」で一緒にやったんだけど、楽しかった。最初は田島（貴男／オリジナル・ラブ）さんが歌った「めくれたオレンジ」のよう

な曲が来るのかと思っていたら、ロカビリーなスウィングだったんだ。楽しかったね。昔、スカフレイムスのギタリストの宮崎（研二）さんからは「Tokyo Shot」のシングル盤をもらったことがあって、それがすごくうれしかった。パンクからの流れでスペシャルズやザ・セレクターといった2トーン・スカも聴くようになった。スペシャルAKAの「Nalson Mandela」も好きだった。政治的な意味合いが含まれていることを知るのはあとになってからだったけど、白人と黒人の混合バンドだからこその表現できた音楽だったように感じる。ほかにはマッドネスやポテト5も好きだったよ。

ROCKABILLY & PSYCHOBILLY

アメリカ・テキサス州ダラスを拠点とするサイコビリー・トリオが、96年に発表した4枚目のアルバム。

Reverend Horton Heat
It's Martini Time   12inch

Blue Voodoo
Blue Voodoo 12inch

Gene Vincent & The Blue Caps
Cruisin' With 12inch

The Guana Batz
Held Down To Vinyl .... At Last! 12inch

The Guana Batz
You're So Fine ╱ Rockin' In My Coffin ╱
Jungle Rumble ╱ Guana Rock 7inch

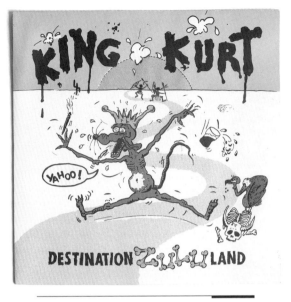

1	2		5	
3	4		6	7	8

1 ラリー・コリンズ＆ジョー・メイフィス「Rockin' Gypsy」、G.L.クロケット「Look Out Mabel」、エルモア・ジェームス「Dust My Broom」のカバーなど、計6曲が収録されたLP。**2** 伝説的ロカビリー・シンガーの1956～58年の音源を集めたコンピレーション盤。クリフ・ギャラップの"ギャロッピング・ギター"も聴きどころ。**3** ロンドンで結成されたサイコビリー・バンドの1stアルバム。85年作品。**4** グアナバッツの1stシングル。**5** イギリスのサイコビリー・バンドのヒット・シングル。スティッフ・レコードより83年発売。**6** サイコビリー初期の代表格バンドが81年に発表したEP。**7** スイス出身のメロディック・サイコビリー・トリオの1stアルバム。95年発表。**8** イギリスを代表するネオロカ・グループの5thアルバム。88年発表。

King Kurt
Destination Zululand ／ She's As Hairy　　　7inch

The Meteors
Meteor Madness　　　7inch

Peacocks
Come With Us　　　12inch

Restless
Beat My Drum　　　12inch

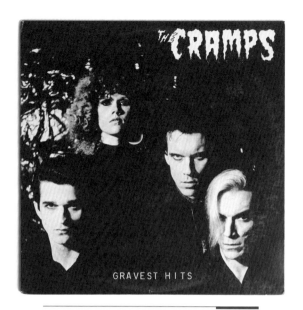

The Cramps
Gravest Hits   12inch

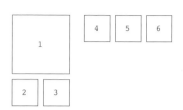

1 76年にアメリカ・カリフォルニアで結成された
サイコビリー／パンク・バンドの1st EP。 2 78年
発表のシングル。B面はロイ・オービソンのカバー。
3 86年にフランスのニュー・ローズ・レコーズか
らリリースしたシングル盤。 4 イギリスのロカビ
リー・シンガーのコンピ盤。クラッシュがカバーした
ことで知られる「Brand New Cadillac」などを収録。
5 83年にパリで結成された人気サイコビリー／ロ
カビリー・バンドの1stアルバム。 6 80年代にロ
カビリーから派生したサイコビリー・バンドの楽曲を
まとめた名オムニバス盤。

The Cramps
Human Fly ／ Domino   7inch

The Cramps
Kizmiaz ／ Get Off The Road ／
Give Me A Woman   7inch

8 : ROCKABILLY & PSYCHOBILLY

1 : ROOTS 2 : PUNK 3 : PUB-ROCK 4 : GARAGE 5 : ROCK 6 : DOMESTIC 7 : 60's 9 : BRITISH 10 : SOUND TRACK 11 : US ALTERNATIVE 12 : JAZZ

Vince Taylor And The Playboys
The Black Leather Rebel　　12inch

Les Wampas
Tutti Frutti　　12inch

V.A.
Blood On The Cats　　12inch

パンク・ロックとともに俺の中で欠かせないのがロカビリー／サイコビリーだね。この本で紹介するレコードをピックアップしていて、つくづく俺はパンクとロカビリーで生きてきたんだなって思った。

ハマったきっかけとしては、ボーリング・シャツとか"ファッション"も大きな要素だった。もちろん音楽もカッコよくて、ウッドベースの音には惹かれたな。

レヴァレンド・ホートン・ヒートは、演奏もすごくうまいしギターも攻撃的でカッコいいよ。

ザ・クランプスは、ミッシェルでロンドンにレコーディングしに行った時に初めてライブを観た。ものすごくカッコよかった。その後、俺たちも同じハコでライブやったんだよ。クランプスを観に来るような連中がたくさんいてうれしかったよ。

BRITISH

	1	
2	3	4

1 89年に発表されたガレージ・ロック色の強い2ndアルバム。**2** 3rdアルバム『Screamadelica』リリース後、アルバムには収録されなかった同名曲などを収録したEP。**3** ジーザス＆メリーチェインが85年に発表した1stアルバム『Psychocandy』からのシングル・カット盤。**4** 「Somecandy Talking」やアルバム未収録の「Psychocandy」などを収録。

Primal Scream
Primal Scream   12inch

Primal Scream
Dixie-Narco EP   12inch

The Jesus And Mary Chain
Never Understand ／ Suck ／
Ambition   7inch

The Jesus And Mary Chain
Some Candy Talking E.P.   7inch

1：ROOTS 2：PUNK 3：PUB ROCK 4：GARAGE 5：ROCK 6：DOMESTIC 7：SKA 8：ROCKABILLY & PSYCHOBILLY 9：BRITISH 10：SOUND TRACK 11：US ALTANATIVE 12：JAZZ

Reef
Glow   12inch

The Stone Roses
The Stone Roses   12inch

Ride
Vapour Trail ╱ Unfamiliar ╱ Sennen ╱ Beneath 12inch

Ride
Nowhere   12inch

The boxes layout with numbers 1,2,5,3,4,6,7

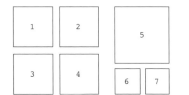

1 グラストンベリー出身バンドが97年に発表した2ndアルバム。代表曲「Place Your Hands」収録。**2** イアン・ブラウン、ジョン・スクワイアらを擁したストーン・ローゼズの1stアルバム。マッドチェスター・ムーブメントを象徴する1枚。**3** 先に発売された1stアルバム『Nowhere』からのシングル・カット盤。「Vapour Trail」など計4曲。**4** 90年にリリースされたライドの1stアルバム。**5** 90年代中頃までヒット・チャートを大いに賑わせていたギター・ロック・バンドの、2作目のオリジナル・アルバム。**6** グラスゴーを代表するロック・バンドが91年に発表した1枚。発売直後に廃盤になり、長らく"幻の作品"と呼ばれていた。**7** ブロウ・アップ・レコーズの主宰者がボーカルを努めるUKモッド・ポップ・バンドのシングル。

The Wedding Present
Bizarro   12inch

Teenage Fanclub
The King   12inch

The Weekenders
Inelegantly Wasted In Papa's
Penthouse Pad In Belgravia ╱
Miles Away ╱
Watching The Clock   7inch

The Monochrome Set

"Strange Boutique"   12inch

The Monochrome Set
He's Frank / Alphaville   7inch

The Monochrome Set
The Monochrome Set ／ Mr. Bizarro   7inch

	1			2	3

1 ネオアコなどに影響を与えたことで知られるモノクローム・セットが80年に発表した1stアルバム。**2** 79年リリースのシングル。写真はイギリス盤。**3** こちらも79年に発売されたシングル。

スミスが87年にリリースした12インチ・シングル。若き日のエルヴィス・プレスリーの写真が印象的。

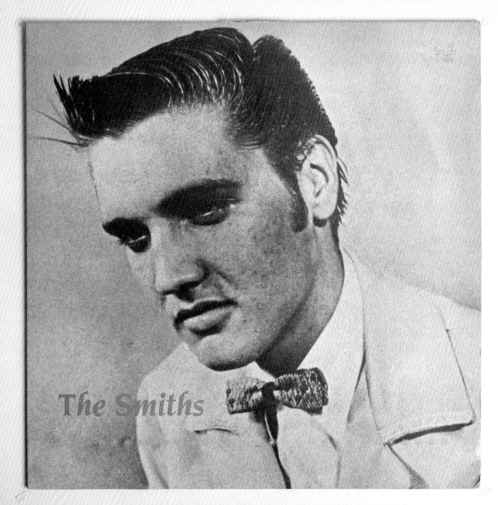

The Smiths

Shoplifters Of The World Unite ／
London ／ Half A Person   12inch

1stアルバム『The Smiths』からのシングル・カット盤。オリジナル盤のジャケットでは映画『コレクター』出演時のテレンス・スタンプの写真を使用していたが、未許諾でリリースしたため回収騒ぎに。急遽モリッシー自身がテレンスと同じ構図で写るジャケットに差し替え、テレンスから許可が降りるまでそちらを流通することとなった。チバが所有するのは、レアなモリッシー盤。

1：ROOTS　2：PUNK　3：PUB ROCK　4：GARAGE　5：ROCK　6：DOMESTIC　7：SKA　8：ROCKABILLY & PSYCHOBILLY　9：BRITISH　10：SOUND TRACK　11：US ALTANATIVE　12：JAZZ

The Smiths

What Difference Does It Make? /
Back To The Old House ／ These Things Take Time　12inch

SMITHS

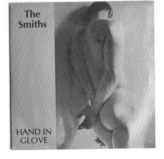

1		
2	**3**	**4**

1 3rdアルバム『The Queen Is Dead』からのシングル・カット盤。**2** スミス最後のアルバム『Strangeways, Here We Come』からのシングル・カット盤。ジャケットの写真は劇作家シェラ・デラニー。**3** 83年にラフトレードからリリースされたデビュー・シングル。**4** 代表曲「How Soon Is Now?」のシングル。チバが所有するのは92年に再発されたもの。

The Smiths
Bigmouth Strikes Again ／
Money Changes Everything ／ Unloveable   7inch

The Smiths
Girlfriend In A Coma ／
Work Is A Four-Letter Word   7inch

The Smiths
Hand In Glove ／
Handsome Devil（Live）   7inch

The Smiths
How Soon Is Now? ／
Hand In Glove   7inch

1990年代のブリティッシュ・ロックでは、ストーン・ローゼスやリーフ、ティーンエイジ・ファンクラブ、ライドが好きだったね。

あと、ザ・ウェディング・プレゼントも大好きなバンドのひとつ。最初に買ったのは、サッカー選手のジョージ・ベストがジャケットになっている『George Best』で、そのあとに『Bizarro』を聴いた。『Bizarro』は、1曲目の「Brassneck」のアタマのギターが鳴った瞬間から最高なんだ。ギターをジャカジャカかき鳴らすところも好きだね。訛りのある歌い方もカッコいい。

プライマル・スクリームはロックンロール・バンドとして聴いていた。好きな曲は、2ndアルバムの『Primal Scream』に収録されている「Ivy Ivy Ivy」。イントロからもうカッコいい。ギター・ソロ・パートのコード進行も凝っているし、曲の展開の仕方も本当にうまい。ラモーンズやローリング・ストーンズの要素というか、いろんな音楽をうまく取り込みな

がら、さまざまな要素を1曲の中に詰め込んで自分たちの形にしているんだよ。「You're Just Dead Skin To Me」はイントロの出だしがニック・ケイヴみたいだよね。そういった曲の構成については、当時はギターでコピーしてみることで気づくことも多かったな。いずれにしても、ああいうセンスを持ったバンドだからこそ『Screamadelica』のような名盤を作ることができたんだと思う。

モノクローム・セットやザ・スミスにもロカビリーの要素を感じる。ジョニー・マーもグレッチのギターを使っていたし。80年代に活躍したニューウェーブ・バンドを聴くと、その根底にロカビリーの要素を持っている連中が結構いるんだよね。モノクローム・セットの「The Monochrome Set」は、曲の中盤で突然転調したりして、聴いた時に"狂ってる"と思った。でも独特でカッコいいんだよね。

スミスはシンプルなジャケットがカッコいい。エルヴィス・プレスリーやジェー

ムス・ディーンの写真がジャケットに使われていたり、映画の一場面を切り取ったりしていて。しかもタイトルやバンド名も入っていないシンプルなジャケットもあったりする。まさにアートワークというアプローチでカッコいいよね。

7インチ・レコードは、欲しくなるデザインが多いから、見つけたら思わず手が伸びてしまうんだ。45回転が多いし、溝の収録面積も広いから音質もいいんだよ。ミッシェルでイギリスに初めてレコーディングしに行った時、大量に買い込んだのを覚えてる。当時は1990年代半ば頃で、ちょうどオアシスとブラーがチャートのトップを争っている頃だった。『(What's the Story) Moning Glory?』のジャケットになったレコード屋の多いベリック・ストリートにも行ったよ。

結局、7インチの魅力って、"物欲"なんじゃない？ "持っていたい"、"自分たちのバンドでも作りたい"って気持ちになるんだ。だからずっと作り続けているんだよ。

7インチ・レコードはジャケットが魅力　"自分たちも作りたい"って気持ちになるから、ずっと作り続けている

SOUND TRACK

ジム・ジャームッシュ監督の84年作品『ストレンジャー・ザン・パラダイス』のサウンド・トラック。

FROM THE ORIGINAL SOUNDTRACK OF THE FILM
'STRANGER THAN PARADISE'

SCREAMIN' JAY HAWKINS
JOHN LURIE

including "I PUT A SPELL ON YOU"

1 : ROOTS　2 : PUNK　3 : PUB ROCK　4 : GARAGE　5 : ROCK　6 : DOMESTIC　7 : SKA
8 : ROCKABILLY & PSYCHOBILLY　9 : BRITISH　10 : SOUND TRACK　11 : US ALTANATIVE　12 : JAZZ

V.A.
Stranger Than Paradise
(From The Original Soundtrack Of The Film)　12inch

V.A.

Easy Rider (Music From The Soundtrack)   12inch

V.A.
Midnight Cowboy (Original Motion Picture Score)   12inch

1 69年に公開された映画『イージー・ライダー』のサントラ盤。映画をきっかけに大ヒットしたステッペンウルフ「Born to Be Wild」収録。**2** 69年公開のアメリカ映画『真夜中のカーボーイ』のOST。映画の音楽監督はジョン・バリー。**3** 怪人ブルースマンの50年代の録音を収録した編集盤。**4** ジャン＝ジャック・ベネックスによる81年の長編『ディーバ』のサウンド・トラック。**5** 同じくジャン＝ジャック・ベネックスが手がけた恋愛映画のOST。映画の音楽担当はガブリエル・ヤレド。

1：ROOTS 2：PUNK 3：PUB ROCK 4：GARAGE 5：ROCK 6：DOMESTIC 7：SKA 8：ROCKABILLY & PSYCHOBILLY 9：BRITISH 10：SOUND TRACK 11：US ALTERNATIVE 12：JAZZ

Screamin' Jay Hawkins
Frenzy   12inch

Vladimir Cosma
Diva (Original Soundtrack Recording)   12inch

Gabriel Yared
Betty Blue (37° 2 Le Matin)   12inch

■1 ヘンリー・マンシーニ作曲による、アメリカのテレビ番組『ピーター・ガン』のサウンド・トラック。59年にグラミー賞のアルバム・オブ・ザ・イヤーを受賞。■2 『The Music From Peter Gunn』の第2弾作品。■3 サックス奏者のジョン・ルーリーと兄弟でピアニストのエヴァン・ルーリーが中心となって結成されたラウンジ・リザーズが87年に発表した作品。マーク・リボーが参加。■4 75年の大ヒット・ホラー・ミュージカル『ロッキー・ホラー・ショー』の劇中歌をまとめた1枚。

Henry Mancini
The Music From Peter Gunn   12inch

Henry Mancini
More Music From Peter Gunn   12inch

The Lounge Lizards
No Pain For Cakes   12inch

V.A.
The Rocky Horror Show
(Starring Tim Curry And The Original
Roxy Cast)   12inch

サントラは今でもよく聴くよ。好みはころころ変わるんだけど、『イージー・ライダー』（1969年／デニス・ホッパー監督）はもちろん好きだし、『メッセージ』（2016年／ドゥニ・ヴィルヌーヴ監督）や『ボーダーライン』（2015年／ドゥニ・ヴィルヌーヴ監督）の音楽を手がけていた現代音楽家のヨハン・ヨハンソンっていうアイスランドの作曲家にハマっていた。ポスト・クラシカルと呼ばれているジャンルの人だね。あとはマックス・リヒター。この人は、映画音楽のほかに快適に眠るためだけの音楽（『Sleep』）を作ったりするんだけど、彼の作る音楽も好きだね。

『パリ、テキサス』（1984年／ヴィム・ヴェンダース監督）のサウンドトラックは最高。あの映画で流れるライ・クーダーの音楽には本当にシビれた。俺も一度、あの世界観を目指してソロ作品を作ったこともあるくらいなんだ。まったく違うものになったけど。あとジム・ジャームッシュの『ストレンジャー・ザン・パラダイス』（1984年）も好きだった。

有楽町の映画館で観たんだよ。ジョン・ルーリーのことはジャームッシュの映画で知ったんだ。この作品で使われたスクリーミン・ジェイ・ホーキンスの「I Put a Spell on You」を聴いた時は、「なんてカッコいいんだ！」って思った。1990年に来日公演を観に行ったんだけど、ステージに棺桶が運ばれてきて、そこからスクリーミン・ジェイ・ホーキンスが出てきて歌い出すんだよ。本当に死神みたいだったよ。あのライブにはシビれたね。最高だった。

そう考えると、俺はいろんな映像作品とそのサントラから多大に影響を受けてるね。テレビ・ドラマの主題歌だった「Peter Gunn」は、ミッシェルでステージに出ていく時のSEにもしていたしね。俺は映像作品が好きなんだよ。例えば『時計仕掛けのオレンジ』（1971年／スタンリー・キューブリック監督）は、表現そのものがパンクだよね。"反体制"みたいな見方をする人もいるけど、違う違う、ただのクソガキ。パンクってそういうことじゃん。

US
ALTERNATIVE

J・マスシスを中心に90年代のオルタナティブ・ロック・シーンを牽引したバンドの4thアルバム。

DINOSAUR Jr

GREEN MIND

1 : ROOTS 2 : PUNK 3 : PUB ROCK 4 : GARAGE 5 : ROCK 6 : DOMESTIC 7 : SKA
8 : ROCKABILLY & PSYCHOBILLY 9 : BRITISH 10 : SOUND TRACK 11 : US ALTANATIVE 12 : JAZZ

Dinosaur Jr.
Green Mind   12inch

Beastie Boys
(You Gotta) Fight for Your Right (To Party!) ／
Time To Get Ill   7inch

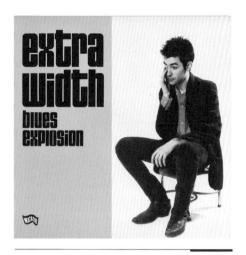

The Jon Spencer Blues Explosion
Extra Width   12inch

Sonic Youth
Dirty   12inch

1 アメリカの3人組ヒップホップ・グループが初期に発表した代表曲のシングル盤。**2** JSBXが93年にリリースした2ndアルバム。バンドはこの次のアルバム『Orange』でブレイクを果たすことになる。**3** バンドにとって8作目のアルバム。90年代にグランジ／オルタナティブ・ロック・ブームが湧き起こるきっかけのひとつと言える作品。

ジョン・スペンサーは、1995年の初来日公演を渋谷CLUB QUATTROで観たんだけど、めちゃくちゃ素晴らしかった。ブッ飛んでいるのに知的な雰囲気もあって圧倒されたんだ。ブルース・エクスプロージョンも良いけど、俺はプッシー・ガロアが好きだった。

ソニックユースの作品はほとんど聴いているんだけど、ここで紹介している『Dirty』は、音がチャリチャリしていてカッコいいと思った。当時は、ほぼ同時か少し早いくらいのタイミングで日本でも同じような音を出すバンドが出始めていて、おもしろいなって感じていた。当時ライブハウスで対バンした連中にも、同じような曲調でやってるバンドも多かったと思う。

個人的に半音下げたチューニングや変則チューニングは、自分の中のピッチが狂うから嫌いなんだよね。AはAでちゃんと鳴らせよって思ってしまう。そういう意味で、同じ時期に出てきたバンドだと、パール・ジャムやスマッシング・パンプキンズはちょっと苦手だったな。

オルタナティブ・ロック・シーンのバンドで一番気に入っているのはダイナソー Jr.。『Green Mind』は名盤だよね。このアルバムの曲を聴いて、J・マスシスは天才だと思った。ポール・マッカートニーもそうだけど、琴線に触れるメロディを作る人だと思っている。轟音で鳴っているビッグマフのファズ・ギターもカッコいい。大好きなレコードのひとつだね。

JAZZ

“スペイン音楽”をテーマにした、マイルス・デイヴィスとギル・エヴァンスの共同作。
「Concierto De Aranjuez」を有名にした1枚。

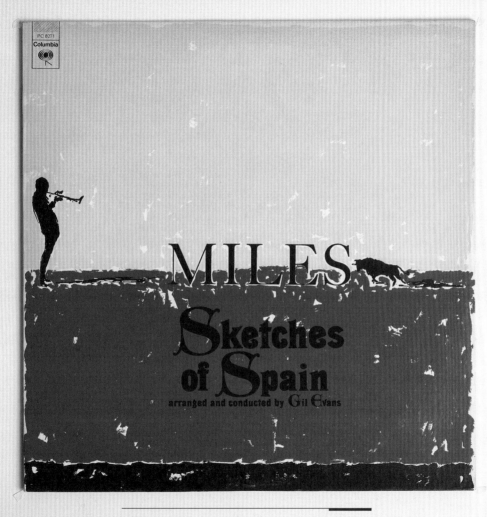

1：ROOTS　2：PUNK　3：PUB ROCK　4：GARAGE　5：ROCK　6：DOMESTIC　7：SKA
8：ROCKABILLY & PSYCHOBILLY　9：BRITISH　10：SOUND TRACK　11：US ALTERNATIVE　12：JAZZ

V.A.

Sketches Of Spain　　　　　　　　　　　　12inch

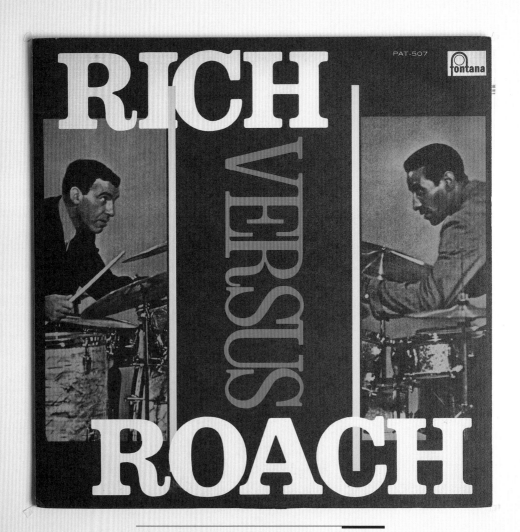

Buddy Rich And Max Roach
Rich Versus Roach   12inch

ART BLAKEY & THE JAZZ MESSENGERS
at the jazz corner of the world

VOL 1

BLUE NOTE 84015 STEREO

1 ジャズ・ドラム界の2大巨頭による白熱のセッションを記録したLP。1959年発売。**2** ジャズ・クラブのバードランドで59年に行なわれたライブを収録。同ライブ音源のLPは2作品に分けてリリースされ、こちらは1枚目。

Art Blakey & The Jazz Messengers
At The Jazz Corner Of The World Vol.1   12inch

『Rich Versus Roach』で聴けるバディ・リッチとマックス・ローチのドラム対決は本当にすごい。特にB面がオススメなんだけど、こんなにドラムの音ででかいレコードってジャズではあんまりない。カッコいいよ。

俺はいわゆる"ロック・ミュージック"だけがロックだとは思ってない。例えばマイルス・デイヴィスだって、俺にとってはロックなんだよ。「うわ、カッコいいな」って自分の心に響いたら、それがロックだって勝手に解釈してる。洋服でもそうだし、靴もそうだし、瓦を作っている人だってそう。職人さんってロックな人が多いよね。「カッコいいな」、「おもしろいな」っていうのが俺にとっての"ロック"なんだ。

T-SHIRT

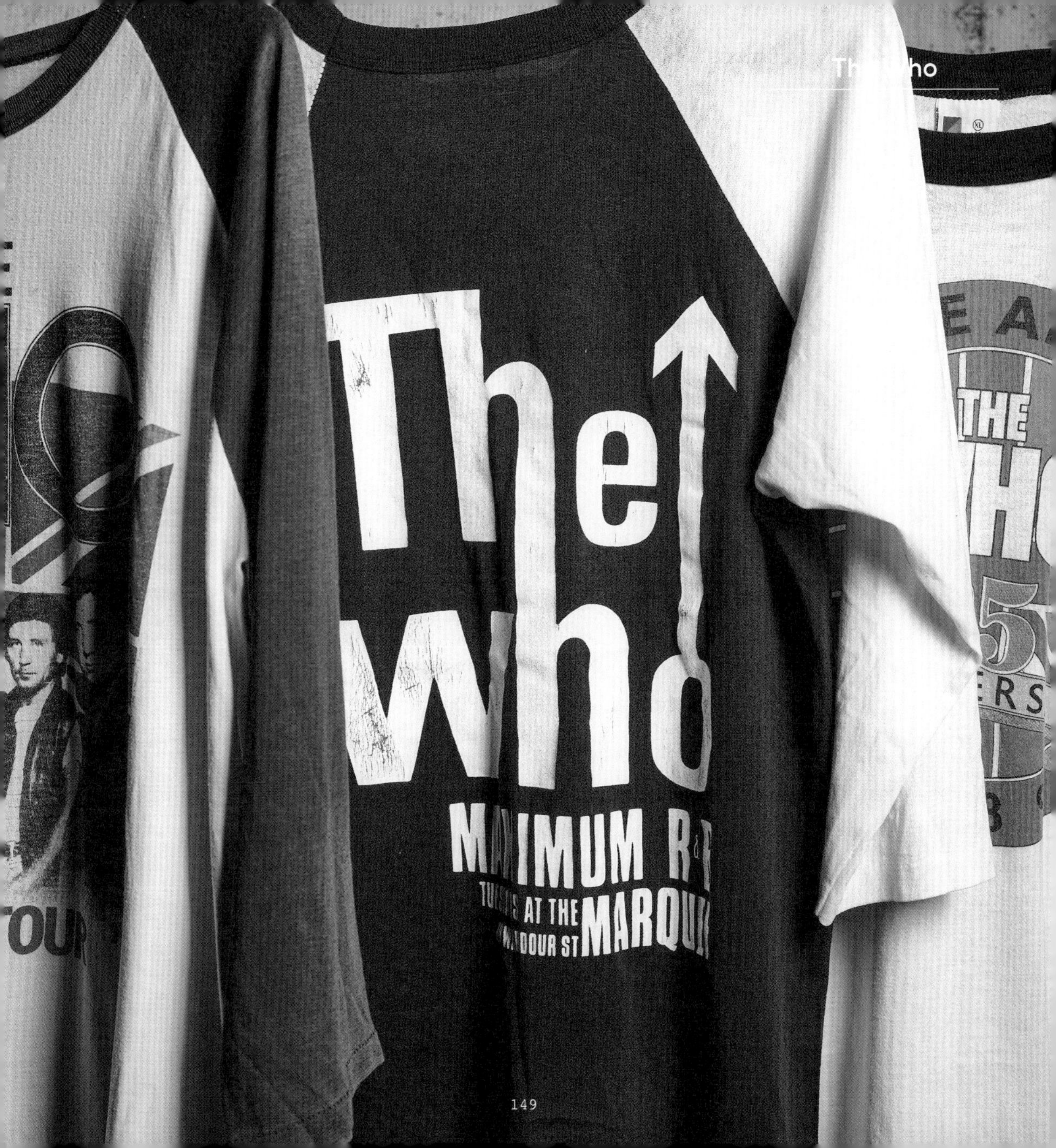
The
who
IMUM
AT THE
DOUR ST
MARQU
TOUR
THE
ERS

ING STONES STEEL WHEELS

The Rolling Stones

The Doors

John Lennon &
George Harrison

The Clash

The Damned

Wilko Johnson Band

Sonic Youth

The Pogues

POSTSCRIPT

　この本では、俺が影響を受けたレコードを紹介してきたわけだけど、ひとつ言っておきたいのは、俺が影響を受けた音楽っていうのは、何も好きなものだけじゃない。よく取材で「影響を受けた音楽は？」ってことを聴かれるけど、そこには俺が「つまんねえな」って感じた音楽も含まれるわけ。そういういろんな音楽が自分の中で血肉になっているからこそ、「俺の作る音楽のほうが絶対にカッコいい」って、常にそういう気持ちで音楽と向き合っていられるのかもしれない。

　俺自身、常日頃から瞬間瞬間であらゆるものから影響を受けている。例えば、今座ってる椅子が堅いな、とかさ、そういうふうに耳に入ってくるものだけじゃない。タバコもそう、ビールもそう、ファッションや、人の会話もそう。目に入ったものすべてが俺の表現に影響を及ぼして、"音楽"として鳴り響くんだよ。

INDEX

OVER SEA

INDEX

EVE OF DESTRUCTION

2022 年 9 月 10 日　第 1 版第 1 刷発行
2024 年 7 月 10 日　第 1 版第 7 刷発行

著者
チバユウスケ

発行者
加藤一陽

発行所
株式会社ソウ・スウィート・パブリッシング
〒 154-0043 東京都渋谷区道玄坂 1-2-3 渋谷フクラス 17F
TEL・FAX：03-4500-9691

担当編集
尾藤雅哉

装丁・デザイン・DTP
猪野麻梨奈

撮影
西槇太一

協力
熊谷和樹、杉山律子（TOPPANクロレ株式会社）、瀬戸垣内潔（base inc.）、能野哲彦（base inc.）

印刷・製本
TOPPANクロレ株式会社 Printed in Japan

ISBN978-4-9912211-1-8